D0300378

1:01 LE MANAGER MINUTE

Éditions d'Organisation
1, rue Thénard
75240 Paris Cedex 05
www.editions-organisation.com

Traduction autorisée de *The One Minute Manager*

ISBN : 2-7081-0866-2

Kenneth BLANCHARD, Ph. D.
Spencer JOHNSON, M. D.

1:01 LE MANAGER MINUTE

Traduit par Sophie MARNAT

Dix-huitième tirage 2003

Éditions d'Organisation

AUX ÉDITIONS D'ORGANISATION

Auguste Detoeuf
Propos de O.L. Barenton, confiseur

Henri Mintzberg
Le manager au quotidien : les dix rôles du cadre

1:01 *Sommaire*

Symbole 9
Introduction 11
La quête 15
Le Manager Minute 21
Le premier secret : les Objectifs Minute 29
Objectifs Minute : résumé 38
Le deuxième secret : les Félicitations Minute 40
Félicitations Minute : résumé 48
L'évaluation 51
Le troisième secret : les Réprimandes Minute 54
Réprimandes Minute : résumé 63
Les explications du Manager Minute 65
Les Objectifs Minute : pourquoi ça marche 69
Les Félicitations Minute : pourquoi ça marche 80
Les Réprimandes Minute : pourquoi ça marche 90
Le nouveau Manager Minute 103
Un cadeau pour vous-même 105
Un cadeau pour les autres 109
Remerciements 112
Les auteurs 114

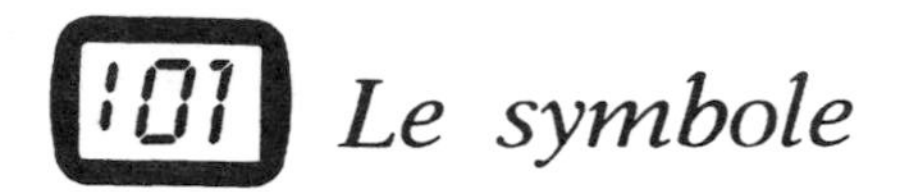

Le symbole

Le symbole du Manager Minute – un cadran d'horloge numérique affichant une minute – est destiné à nous rappeler de prendre une minute dans notre journée, de temps à autre, pour regarder en face les gens que nous dirigeons – et de prendre conscience du fait qu'*ils* constituent nos ressources primordiales.

1:01 *Introduction*

Cette courte histoire réunit une grande partie de ce que nous avons appris, au cours d'études de médecine et de psychologie, sur la façon dont les individus travaillent le mieux avec d'autres individus.

« Le mieux », c'est-à-dire comment les gens produisent de bons résultats tout en étant bien dans leur peau et contents d'eux, de leur organisation et de leurs collègues.

Cette allégorie, *Le Manager Minute*, est simplement le recueil de ce que beaucoup de gens sages nous ont enseigné et de ce que nous avons appris par nous-mêmes. Nous reconnaissons l'importance de ces sources de sagesse. Nous nous rendons compte également que les gens qui sont placés sous votre responsabilité vous considèrent comme l'une de *leurs* sources de sagesse.

Nous espérons donc que vous utiliserez dans vos activités quotidiennes de gestion les connaissances pratiques que vous aurez tirées de ce livre. Car comme le recommande le sage Confucius à chacun de nous : « L'essence de la connaissance est, une fois qu'on l'a acquise, de l'utiliser. »

Nous espérons que vous aimerez *utiliser* ce que vous apprendra le Manager Minute et que, ainsi, vous-mêmes et vos collaborateurs pourrez jouir d'une vie plus saine, plus heureuse et plus productive.

Kenneth Blanchard, Ph. D.
Spencer Johnson, M. D.

1:01 Le Manager Minute

IL était une fois un brillant jeune homme qui était à la recherche d'un manager efficace.

Il voulait travailler pour un tel manager. Il voulait en devenir un.

Sa quête l'avait mené, pendant bien des années, dans tous les coins du monde.

Il était allé dans de petites villes et dans les grandes capitales des nations puissantes.

Il s'était entretenu avec de nombreux managers : de hauts fonctionnaires et des officiers militaires, des chefs de travaux et des P.-D.G, des présidents d'université et des contremaîtres, des responsables de services publics et des directeurs d'association, des directeurs de boutiques et de grands magasins, de restaurants, de banques et d'hôtels, des hommes et des femmes, jeunes et vieux.

Il était allé dans toutes sortes de bureaux, des grands et des petits, des bureaux luxueux et des bureaux modestes, avec des fenêtres et sans fenêtres.

Il commençait à voir la gestion des ressources humaines dans toute sa variété.

Mais il n'était toujours pas satisfait de ce qu'il voyait.

Il avait vu beaucoup de managers « durs », qui travaillaient dans des organisations qui gagnaient, alors que leurs employés étaient perdants.

Certains de leurs supérieurs trouvaient qu'ils étaient de bons managers.

Beaucoup de leurs subordonnés pensaient différemment.

Chaque fois que le jeune homme était reçu dans le bureau de l'un de ces « durs », il leur demandait :

– Quel type de manager pensez-vous être ?

Les réponses variaient peu.

– Je suis un manager autocratique – je reste maître de la situation, lui disait-on. Je gère le compte de résultats. Je suis sévère et rigoureux. Réaliste. Je me soucie avant tout des bénéfices.

Il avait entendu la fierté dans leur voix et vu l'intérêt qu'ils portaient aux résultats.

Le jeune homme avait aussi rencontré beaucoup de managers « gentils », dont les collaborateurs semblaient gagner, alors que leur organisation perdait.

Les subordonnés de ces managers pensaient parfois qu'ils étaient de bons managers.

Leurs supérieurs avaient des doutes.

Le jeune homme leur avait posé la même question et il avait entendu :

– Je suis un manager démocratique. J'encourage la participation. Je soutiens les individus. Je suis attentionné. Humaniste.

Il avait entendu la fierté dans leur voix et vu l'intérêt qu'ils portaient aux individus.

Mais quelque chose le préoccupait.

On aurait dit que la plupart des managers s'intéressaient avant tout soit aux résultats soit aux individus.

Les managers qui s'intéressaient aux résultats étaient souvent désignés comme « autocratiques », tandis que les managers qui s'intéressaient aux individus portaient souvent l'étiquette « démocratique ».

Le jeune homme estimait que ces deux types de managers – l'autocrate « dur » et le « gentil » démocrate – n'étaient que partiellement efficaces. « Cela revient à être un demi-manager », pensait-il.

Il rentra chez lui fatigué et découragé.

Il aurait pu abandonner ses recherches depuis longtemps, mais il avait un grand avantage. Il savait exactement ce qu'il recherchait.

« Les managers efficaces, pensait-il, gèrent leurs collaborateurs et eux-mêmes de sorte que leur présence profite autant à leur organisation qu'aux individus. »

Le jeune homme avait cherché partout un manager efficace, mais il n'en avait trouvé que quelques-uns. Ceux-ci n'avaient pas voulu partager leurs secrets avec lui. Il commençait à se demander s'il allait jamais réussir à connaître le « truc » pour être un manager efficace.

C'est alors qu'il entendit raconter des histoires merveilleuses à propos d'un manager très spécial qui vivait justement dans une ville voisine. On lui dit que les gens aimaient travailler pour cet homme et que, ensemble, ils produisaient de bons résultats. Le jeune homme se demandait si ces histoires étaient vraies et, le cas échéant, si ce manager serait disposé à partager ses secrets avec lui.

Curieux, il téléphona à la secrétaire de ce manager pour demander un rendez-vous. La secrétaire lui passa immédiatement le manager.

Le jeune homme demanda à ce manager spécial quand il pourrait le recevoir. Il lui répondit :

– N'importe quel jour de la semaine, sauf mercredi matin. A vous de choisir l'heure.

Le jeune homme riait sous cape parce que ce manager soi-disant merveilleux lui faisait l'impression d'être un imposteur. Quel type de manager était-ce, pour avoir autant de temps disponible ? Mais la curiosité du jeune homme était piquée au vif. Il alla trouver le manager.

LORSQUE le jeune homme arriva au bureau du manager, il le trouva debout près d'une fenêtre, regardant dehors. Quand le jeune homme toussota, le manager se retourna et sourit. Il invita le jeune homme à s'asseoir et lui demanda :

– Que puis-je faire pour vous ?

Le jeune homme répondit :

– J'aimerais vous poser quelques questions sur la façon dont vous gérez les hommes.

Le manager dit avec bonne volonté :

– Allez-y.

– Eh bien ! pour commencer, est-ce que vous tenez des réunions régulières avec vos subordonnés ?

– Oui. Une fois par semaine, le mercredi de 9 heures à 11 heures. C'est la raison pour laquelle je ne pouvais pas vous recevoir à ce moment-là, répondit le manager.

– Que faites-vous pendant ces réunions ? demanda le jeune homme.

– J'écoute mes collaborateurs passer en revue et analyser ce qu'ils ont fait dans la semaine, les problèmes qu'ils ont rencontrés, et ce qu'il leur reste à faire. Puis nous élaborons des plans et des stratégies pour la semaine à venir.

– Est-ce que les décisions prises au cours de ces réunions vous engagent, autant vous que vos collaborateurs ? demanda le jeune homme.

– Oui, bien sûr, insista le manager. A quoi serviraient les réunions si ce n'était pas le cas ?

– Vous êtes donc un manager orienté sur la participation, n'est-ce pas ? demanda le jeune homme.

– Au contraire, répliqua le manager. Je refuse de participer au processus de prise de décision de mes collaborateurs.

– Alors à quoi servent vos réunions ?

– Je vous l'ai déjà dit, répondit le manager. S'il vous plaît, jeune homme, ne me demandez pas de me répéter. C'est une perte de temps pour vous comme pour moi.

« Nous sommes ici pour obtenir des résultats, poursuivit le manager. L'objectif de cette organisation est d'être efficace. En étant organisés, nous sommes beaucoup plus productifs.

– Ah ! alors vous êtes conscient de l'importance de la productivité. Donc, vous vous souciez plus des résultats que des individus, suggéra le jeune homme.

– Non ! tonna le manager, faisant sursauter son visiteur. J'entends cela trop souvent. Il se leva et fit quelques pas. Comment puis-je obtenir des résultats sinon par l'intermédiaire des individus ? Je me soucie des individus *et* des résultats. Ce sont comme deux doigts d'une main.

« Regardez ceci, jeune homme. Le manager tendit au visiteur un panonceau. Je le garde sur mon bureau pour me rappeler cette vérité concrète.

*

Les gens

qui se sentent

bien dans leur peau

produisent

de bons résultats

*

Tandis que le jeune homme regardait le panonceau, le manager lui dit :

– Pensez à vous-même. Quand travaillez-vous le mieux ? Quand vous vous sentez bien ? Ou quand vous êtes mal dans votre peau ?

Le jeune homme hocha la tête en comprenant la réponse évidente.

– Je travaille mieux quand je me sens bien dans ma peau, répondit-il.

– Bien sûr, convint le manager. C'est le cas de tout le monde.

Le jeune homme leva l'index, saisi d'une inspiration subite :

– Donc, dit-il, aider les gens à se sentir bien dans leur peau est un moyen d'obtenir plus de résultats.

– Oui, reconnut le manager. Mais souvenez-vous que la productivité n'est pas seulement la *quantité* de travail effectué. C'est aussi une question de *qualité*.

Il s'approcha de la fenêtre et dit :

– Venez par ici, jeune homme.

Il lui montra la circulation, en bas dans la rue, et lui demanda :

– Vous voyez le nombre de voitures étrangères qui circulent ?

Le jeune homme regarda dans la rue et dit :

– J'en vois de plus en plus chaque jour. Je suppose que c'est parce qu'elles sont plus économiques et qu'elles durent plus longtemps.

Le manager hocha de la tête à contrecœur et dit :

– Exactement. Alors pourquoi pensez-vous que les gens achètent des voitures étrangères ? Parce que les constructeurs américains n'ont pas fabriqué *assez* de véhicules ? Ou, dit le manager sans s'interrompre, parce qu'ils n'ont pas produit des automobiles d'une qualité que la clientèle américaine recherchait vraiment ?

– Maintenant que vous m'y faites penser, répondit le jeune homme, c'est une question de *qualité* et de *quantité.*

– Bien sûr, ajouta le manager. La qualité consiste simplement à fournir aux gens le produit ou le service qu'ils souhaitent vraiment ou dont ils ont vraiment besoin.

L'homme restait debout devant la fenêtre, perdu dans ses pensées. Il se rappelait l'époque, pas si lointaine, où son pays fournissait la technologie qui avait contribué à reconstruire l'Europe et l'Asie. Il n'arrivait pas à croire que l'Amérique avait pris tant de retard dans la productivité.

Le jeune homme interrompit les réflexions du manager.

– Cela me rappelle une publicité que j'ai vue à la télévision, avança le visiteur. Elle montrait le nom de la voiture étrangère, et les mots suivants s'inscrivaient par-dessus : *Si vous avez l'intention de contracter un emprunt à long terme, n'achetez pas une voiture à court terme.*

Le manager se retourna et dit calmement :

– J'ai bien peur que ce soit un bon résumé de la situation. Tout tourne autour de ça. La productivité, c'est à la fois la quantité et la qualité.

Le manager et son visiteur revinrent près du canapé.

– Et, franchement, la meilleure manière d'obtenir ces deux résultats, c'est de faire appel aux individus.

L'intérêt du jeune homme s'accrut. En se rasseyant, il demanda :

– Bon, vous m'avez déjà dit que vous n'êtes pas un manager « participatif ». Alors comment vous décririez-vous ?

– C'est facile, répondit il sans hésiter. Je suis un Manager Minute.

Le jeune homme eut l'air surpris. Il n'avait jamais entendu parler d'un Manager Minute.

– Vous êtes quoi ?

Le manager rit et dit :

– Je suis un Manager Minute. C'est le nom que je me donne parce qu'il me faut très peu de temps pour obtenir d'excellents résultats de la part de mes collaborateurs.

Le jeune homme s'était entretenu avec bien des managers, mais il n'avait jamais entendu personne parler ainsi. C'était difficile à croire. Un Manager Minute – quelqu'un qui obtient de bons résultats en peu de temps.

Voyant l'air dubitatif du jeune homme, le manager dit :

– Vous ne me croyez pas, n'est-ce pas ? Vous ne croyez pas que je suis un Manager Minute.

– Je dois admettre que j'ai du mal à l'imaginer, répondit le jeune homme.

Le manager rit et dit :

– Ecoutez, vous feriez mieux de parler à mes collaborateurs si vous voulez vraiment savoir quel type de manager je suis.

Le manager dit quelques mots dans l'interphone de bureau. Sa secrétaire, Mme Metcalfe, entra dans le bureau un instant plus tard et tendit au jeune homme une feuille de papier.

– Voici le nom, la fonction et le numéro de téléphone des six personnes dont je suis responsable, expliqua le Manager Minute.

– Lesquelles d'entre elles dois-je aller voir ? demanda le jeune homme.

– C'est à vous de décider, répondit le manager. Choisissez n'importe quel nom. Vous pouvez aller en voir une ou toutes les six.

– Par qui devrais-je commencer ?

– Je vous ai déjà dit que je ne prenais pas de décision à la place des autres, dit fermement le manager. Prenez cette décision vous-même.

Il se leva et raccompagna son visiteur à la porte.

– Vous m'avez demandé, à deux reprises, de prendre à votre place une décision simple. Franchement, jeune homme, je trouve cela ennuyeux. Ne me demandez pas de me répéter. Choisissez un nom et lancez-vous, ou allez chercher ailleurs un manager efficace.

Le visiteur était abasourdi. Il était mal à l'aise, très mal à l'aise. Un moment de silence embarrassé dura une éternité.

Puis le Manager Minute regarda le jeune homme en face et lui dit :

– Vous voulez savoir comment gérer les hommes : bravo, je vous admire.

Il serra la main du visiteur.

– Si vous avez des questions à me poser, quand vous aurez parlé à mes collaborateurs, dit-il chaleureusement, revenez me voir. J'apprécie votre intérêt et votre désir d'apprendre le management. J'aimerais vous offrir en cadeau le concept du Management Minute. Quelqu'un me l'a offert un jour, et tout a changé pour moi. J'aimerais que vous compreniez ce concept à fond. Si vous le souhaitez, vous pourrez peut-être devenir vous-même un Manager Minute.

– Merci, articula le jeune homme.

Il quitta le bureau du manager quelque peu ébahi. Lorsqu'il passa devant la secrétaire, celle-ci lui dit d'un ton compréhensif :

– Je vois d'après votre regard stupéfait que vous avez déjà fait l'expérience de notre Manager Minute.

Le jeune homme dit lentement, en essayant encore de comprendre ce qui lui était arrivé :

– En effet.

– Je peux peut-être vous aider, dit Mme Metcalfe. J'ai téléphoné aux six collaborateurs. Cinq d'entre eux sont présents et ils sont tous prêts à vous recevoir. Vous comprendrez certainement mieux notre Manager Minute lorsque vous vous serez entretenu avec eux.

Le jeune homme la remercia, regarda la liste et décida d'aller voir trois d'entre eux : M. Trenell, M. Lévy et Mme Brown.

QUAND le jeune homme arriva au bureau de Trenell, il trouva un homme d'âge mûr qui lui souriait :

– Ainsi, vous êtes allé voir le « patron ». C'est un sacré type, n'est-ce pas ?

– C'est l'impression qu'il m'a donnée, en effet, répondit le jeune homme.

– Vous a-t-il dit qu'il était un Manager Minute ?

– Oui, mais ce n'est pas vrai, n'est-ce pas ? demanda le jeune homme.

– Vous pouvez le croire ! Je ne le vois presque jamais.

– Voulez-vous dire qu'il ne vous aide jamais ? s'étonna le jeune homme.

– Pour l'essentiel, très peu, mais il passe du temps avec moi au début d'une nouvelle tâche ou d'une nouvelle responsabilité. C'est à ce moment-là qu'il procède à la fixation des Objectifs Minute.

– La fixation des Objectifs Minute ? Qu'est-ce que c'est ? dit le jeune homme. Il m'a dit qu'il était un Manager Minute, mais il ne m'a pas parlé d'Objectifs Minute.

– C'est le premier des trois secrets du Management Minute, répondit Trenell.

– Trois secrets ? demanda le jeune homme, curieux d'en savoir plus.

– Oui, dit Trenell. La fixation des Objectifs Minute est la clé de voûte du Management Minute. Voyez-vous, dans la plupart des organisations, quand vous demandez aux gens ce qu'ils font et que vous demandez ensuite à leur patron, vous obtenez bien souvent deux listes d'activités différentes. J'ai même travaillé dans certaines organisations où la relation entre ce que je pensais être mes responsabilités et ce que pensait mon patron relevait de la pure coïncidence. Et j'avais des ennuis parce que je n'avais pas fait quelque chose dont je ne pensais même pas que c'était mon travail.

– Est ce que cela arrive ici ? demanda le jeune homme.

– Non ! dit Trenell. Cela n'arrive jamais ici. Le Manager Minute précise toujours clairement quelles sont nos responsabilités et ce pour quoi nous sommes tenus responsables.

– Comment fait-il cela ? demanda le jeune homme.

– Avec efficacité, dit Trenell en souriant.

Trenell lui expliqua :

– Lorsqu'il m'a dit ce qu'il fallait faire ou que nous nous sommes mis d'accord sur ce qu'il fallait faire, chaque objectif est inscrit sur une page maximum. Le Manager Minute estime qu'un objectif, et la norme de rendement qui l'accompagne, doit s'exprimer en 250 mots maximum. Il insiste pour que n'importe qui puisse le lire en moins d'une minute. Il en garde un exemplaire, moi aussi, de sorte que les choses sont claires et nous pouvons tous les deux vérifier les progrès accomplis.

– Faites-vous des résumés d'une page pour chaque objectif ?

– Oui, répondit Trenell.

– N'y a-t-il pas beaucoup de résumés d'une page pour chaque personne ?

– Non, pas vraiment, insista Trenell. Le patron croit à la règle des 80-20 en ce qui concerne les objectifs. C'est-à-dire que 80 % de vos résultats vraiment importants proviennent de 20 % de vos objectifs. Alors nous ne fixons des Objectifs Minute que pour ces 20 %, c'est-à-dire nos principaux domaines de responsabilité – peut-être trois à six objectifs au total. Bien sûr, s'il se présente un projet spécial, nous fixons des Objectifs Minute spéciaux.

– Intéressant, commenta le jeune homme. Je crois comprendre l'importance de la fixation des Objectifs Minute. Cela semble être une philosophie « sans surprise » : chacun sait dès le départ ce qu'on attend de lui.

– Exactement, confirma Trenell.

– La fixation des Objectifs Minute consiste-t-elle simplement à comprendre vos responsabilités ? demanda le jeune homme.

– Non. Quand nous savons ce qu'est notre travail, le manager s'assure toujours que nous savons ce qu'est un bon rendement. En d'autres termes, les normes de rendement sont claires. Il nous montre ce qu'il attend de nous.

– Comment fait-il cela – vous montrer ce qu'il attend de vous ? demanda le jeune homme.

– Je vais vous donner un exemple, suggéra Trenell.

« L'un de mes Objectifs Minute a été le suivant : identifier les problèmes de rendement et concevoir des solutions qui, une fois appliquées, changeraient la situation.

« Lorsque j'ai commencé à travailler ici, j'ai repéré un problème à résoudre, mais je ne savais pas quoi faire. Alors j'ai appelé le Manager Minute. Quand il a décroché le téléphone, je lui ai dit :

« – Monsieur, j'ai un problème.

« Avant que je puisse dire quoi que ce soit d'autre, il a dit :

« – Excellent ! C'est pour ça qu'on vous a embauché.

« Puis il y a eu un silence total à l'autre bout de la ligne. Je ne savais pas quoi faire. Le silence était assourdissant. J'ai fini par balbutier :

« – Mais, mais, monsieur, je ne sais pas comment résoudre ce problème.

« – Trenell, m'a-t-il dit, l'un de vos objectifs pour l'avenir est d'identifier et de résoudre vos propres problèmes. Mais puisque vous êtes nouveau, venez en discuter avec moi.

« Quand je suis arrivé dans son bureau, il m'a dit :

« – Trenell, dites-moi quel est votre problème. Mais exprimez-le en termes de comportement.

« – En termes de comportement ? ai-je répété. Que voulez-vous dire par là ?

« – Cela signifie, m'a expliqué le Manager Minute, que je ne veux pas entendre parler seulement d'attitudes et d'impressions. Dites-moi ce qui se passe en termes observables et mesurables.

« J'ai décrit le problème du mieux que je pouvais.

« – C'est bien, Trenell, m'a-t-il dit. Et maintenant, dites-moi ce que vous voudriez qu'il se passe, en termes de comportement.

« – Je ne sais pas, ai-je répondu.

« – Alors ne me faites pas perdre mon temps, a-t-il répliqué sèchement.

« J'ai été saisi de surprise pendant quelques secondes. Je ne savais absolument pas quoi faire. Compatissant, il a rompu le silence.

« – Si vous ne pouvez pas me dire ce que vous voudriez qu'il se passe, a-t-il dit, vous n'avez pas encore de problème. Vous vous plaignez, c'est tout. Un problème n'existe que s'il y a une différence entre ce qui se passe *effectivement* et ce que vous *souhaitez* qu'il se passe.

« J'ai vite compris et je me suis soudain rendu compte que je savais ce que je voulais qu'il se passe. Je le lui ai dit, puis il m'a demandé d'expliquer ce qui aurait pu provoquer ce décalage entre la réalité et la situation souhaitable.

« Ensuite, le Manager Minute m'a dit :

« – Eh bien, qu'allez-vous faire ?

« – Je pourrais appliquer la solution A, ai-je dit.

« – Si vous choisissez A, ce que vous souhaitez va-t-il se passer ? a-t-il demandé.

« – Non, ai-je dit.

« – Donc c'est une mauvaise solution. Que pouvez-vous faire d'autre ?

« – Je pourrais appliquer B, ai-je dit.

« – Mais si vous optez pour B, les choses vont-elles se passer comme vous le voulez ? a-t-il à nouveau répliqué.

« – Non, ai-je répondu.

« – Alors c'est aussi une mauvaise solution, a-t-il dit. Que pouvez-vous faire d'autre ?

« J'ai réfléchi un instant et j'ai dit :

« – Je pourrais appliquer la solution C. Mais si j'applique C, ce que je souhaite ne va pas se réaliser, donc c'est une mauvaise solution, n'est-ce pas ?

« – Exact ; vous commencez à vous en sortir, a dit en souriant le Manager Minute. Que pourriez-vous faire d'autre ? a-t-il demandé.

«– Je pourrais peut-être comb
ai-je dit.

«– Ça peut valoir la peine d'essa

«– En fait, si je fais A cette semaine,
et C dans deux semaines, j'aurai résolu
fantastique. Merci beaucoup. Vous avez rés

«Il a eu l'air très ennuyé.

«– Non, a-t-il dit. C'est vous qui l'avez réso ait que vous poser des questions – des questions q us êtes capable de vous poser vous-même. Maintenant sortez d'ici et allez occuper votre temps, pas le mien, à résoudre vos problèmes.

«Je savais ce qu'il avait fait, bien sûr. Il m'avait montré comment résoudre des problèmes pour que je puisse le faire tout seul à l'avenir.

«Puis il s'est mis debout, il m'a regardé droit dans les yeux et il m'a dit :

«– Vous êtes doué, Trenell. Souvenez-vous-en la prochaine fois que vous aurez un problème.

«Je me souviens que je souriais en quittant son bureau.

Trenell s'appuya dans son fauteuil ; il donnait l'impression de revivre sa première rencontre avec le Manager Minute.

– Donc..., commença le jeune homme, réfléchissant à ce qu'il venait d'entendre.

La fixation des Objectifs Minute consiste donc simplement à :

1. Se mettre d'accord sur les objectifs.
2. Savoir à quoi ressemble un bon comportement.
3. Inscrire chacun des objectifs sur une feuille de papier en utilisant moins de 250 mots.
4. Lire et relire la description de chaque objectif, ce qui ne demande qu'environ une minute chaque fois.
5. Prendre une minute de temps en temps, dans la journée, pour examiner ses propres résultats, et
6. Déterminer si le comportement correspond à l'objectif.

– C'est bien ça ! s'exclama Trenell. Vous apprenez vite !

– Merci, dit le jeune homme fièrement. Mais permettez-moi de noter cela, dit-il. Je veux m'en souvenir.

Après que le jeune homme eut écrit quelques mots dans le carnet bleu qu'il transportait avec lui, il se pencha en avant et demanda :

– Si la fixation des Objectifs Minute est le premier secret pour devenir un Manager Minute, quels sont les deux autres ?

Trenell sourit, regarda sa montre et dit :

– Pourquoi ne demanderiez-vous pas cela à Lévy ? Vous deviez le voir ce matin aussi, n'est-ce pas ?

Le jeune homme était stupéfait. Comment Trenell savait-il cela ?

– Oui, dit le jeune homme en se levant pour serrer la main de Trenell. Merci du temps que vous m'avez consacré.

– Je vous en prie, répondit Trenell. J'ai beaucoup plus de temps maintenant. Comme vous vous en apercevez sans doute, je deviens moi-même un Manager Minute.

EN quittant le bureau de Trenell, le jeune homme réfléchissait à la simplicité de ce qu'il avait entendu. Il pensait : « C'est logique. Après tout, comment un manager peut-il être efficace s'il n'est pas sûr, et ses collaborateurs non plus, de ce qu'ils doivent faire. Et quelle façon efficace de s'en assurer ! »

Le jeune homme parcourut toute la longueur du bâtiment et prit l'ascenseur pour monter au premier étage. En arrivant au bureau de M. Lévy, il fut surpris de se trouver en présence d'un homme aussi jeune. Lévy devait avoir environ trente ans.

– Alors, vous avez vu le patron. C'est un sacré type, n'est-ce pas ?

Il était déjà habitué à entendre le Manager Minute se faire appeler un « sacré type ».

– On dirait, en effet, répondit le jeune homme.

– Vous a-t-il dit qu'il était un Manager Minute ? demanda Lévy.

– Bien sûr. Mais ce n'est pas vrai, n'est-ce pas ? demanda le jeune homme, curieux de savoir s'il obtiendrait une réponse différente de celle de Trenell.

– Vous pouvez croire que c'est vrai. Je ne le vois presque jamais.

– Voulez-vous dire qu'il ne vous aide jamais ? poursuivit le jeune homme.

– Pour l'essentiel, très peu. Mais il passe un certain temps avec moi au début d'une nouvelle tâche ou responsabilité.

– Oui, je connais la fixation des Objectifs Minute, intervint le jeune homme.

– En fait, je ne pensais pas vraiment aux Objectifs Minute. Je parlais des Félicitations Minute.

– Des Félicitations Minute ? dit le jeune homme en écho. Est-ce le deuxième secret pour devenir un Manager Minute ?

– Oui, révéla Lévy. En fait, quand j'ai commencé à travailler ici, le Manager Minute m'a expliqué clairement ce qu'il allait faire.

– Qu'est-ce que c'était ? demanda le visiteur.

– Il a dit que j'arriverais beaucoup mieux à faire du bon travail s'il m'informait précisément de ses réactions vis-à-vis de mon travail.

« Il a dit qu'il voulait que je réussisse. Il voulait que je sois d'une grande utilité à l'organisation et que j'apprécie mon travail.

« Il m'a dit qu'il s'efforcerait donc de me faire savoir, *sans équivoque*, quand je faisais bien mon travail et quand je le faisais mal.

« Et il m'a prévenu que ce ne serait peut-être pas une situation très confortable pour aucun de nous deux, au début.

– Pourquoi ? demanda le visiteur.

– Parce que, comme il me l'a expliqué, la plupart des managers ne procèdent pas de cette façon et les gens n'y sont pas habitués. Puis il m'a assuré qu'une telle rétro-information m'aiderait énormément.

– Pouvez-vous me donner un exemple ? demanda le jeune homme.

– Bien sûr, dit Lévy. Peu de temps après mon arrivée ici, j'ai remarqué que, une fois que le Manager Minute avait fixé avec moi des Objectifs Minute, il restait en contact étroit avec moi.

– Qu'entendez-vous par contact étroit ? demanda le jeune homme.

– Il a fait ça de deux manières, expliqua Lévy. D'abord, il a observé de très près mes activités. Il n'était jamais très loin. Ensuite, il m'a fait enregistrer mes progrès de façon détaillée, et il a insisté pour que je lui envoie ces rapports.

– C'est intéressant, dit le jeune homme. Pourquoi fait-il cela ?

– Au début, je pensais qu'il m'espionnait et qu'il ne me faisait pas confiance ; jusqu'au moment où certains de ses autres collaborateurs m'ont dit ce qu'il faisait en réalité.

– Qu'est-ce qu'il faisait ? demanda le jeune homme, curieux.

– Il essayait de me surprendre à faire quelque chose de bien, dit Lévy.

– Vous surprendre à faire quelque chose de bien ? répéta le jeune homme.

– Oui, répondit Lévy. Nous avons une maxime ici, qui dit :

★

Aidez les gens
à atteindre leur plein potentiel :
surprenez-les
à faire du bon travail

★

Lévy poursuivit :

– Dans la plupart des organisations, les managers passent le plus clair de leur temps à surprendre les gens en train de faire quoi ? demanda-t-il au jeune homme.

Le jeune homme sourit et dit d'un ton assuré :

– De faire quelque chose de mal.

– Exact, dit Lévy. Mais ici, nous mettons l'accent sur le positif. Nous surprenons les gens à faire quelque chose de *bien*.

Le jeune homme prit quelques notes dans son carnet et demanda :

– Que se passe-t-il, monsieur Lévy, quand le Manager Minute vous surprend en train de faire du bon travail ?

– C'est là qu'il donne des Félicitations Minute, dit Lévy avec délices.

– Qu'est-ce que ça veut dire ? demanda le jeune homme.

– Eh bien, quand il a vu que vous aviez fait quelque chose de bien, il vient prendre contact avec vous. Souvent, il pose une main sur votre épaule ou il vous touche brièvement d'une manière amicale.

– Cela ne vous dérange-t-il pas, qu'il vous touche ? s'étonna le jeune homme.

– Non ! insista Lévy. Au contraire, cela m'aide. Je sais qu'il s'intéresse vraiment à moi et qu'il veut que je progresse. Comme il dit : « Plus vos collaborateurs persistent dans leur réussite, plus vous vous élevez dans l'organisation. »

« Lorsqu'il établit ainsi un contact, c'est très bref, mais cela me rappelle que nous sommes vraiment du même côté.

« Et après cela, poursuivit Lévy, il vous regarde droit dans les yeux et vous dit précisément ce que vous avez fait de bien. Puis il vous fait savoir combien il est heureux de ce que vous avez fait.

– Je n'ai jamais entendu parler d'un manager qui faisait cela, intervint le jeune homme. Vous devez être content de vous, après ça.

– Certainement, confirma Lévy, et pour plusieurs raisons. D'abord, je reçois des félicitations dès que j'ai fait quelque chose de bien.

Il sourit et se pencha vers son visiteur. Puis il rit et dit :

– Je ne suis pas obligé d'attendre une session annuelle d'évaluation de mes résultats, si vous voyez ce que je veux dire.

Les deux hommes sourirent.

– Ensuite, puisqu'il précise exactement ce que j'ai fait de bien, je sais qu'il est sincère et qu'il est au courant de ce que j'accomplis. Enfin, il est cohérent.

– Cohérent ? répéta le jeune homme, curieux d'en savoir plus.

– Oui, insista Lévy. Il me félicitera si je travaille bien et si je le mérite, même si les choses ne vont pas très bien pour lui dans un autre domaine. Je sais qu'il peut être préoccupé par d'autres problèmes. Mais il réagit en fonction de ce que j'ai fait, pas en fonction de sa situation à lui. J'apprécie vraiment cela.

– Toutes ces félicitations ne demandent-elles pas beaucoup de temps au Manager Minute ? demanda le jeune homme.

– Pas vraiment, dit Lévy. Souvenez-vous que vous n'avez pas besoin de féliciter quelqu'un pendant très longtemps pour qu'il sache que vous avez remarqué ses efforts et que vous vous souciez de lui. Il faut généralement moins d'une minute.

– C'est pourquoi ça s'appelle des Félicitations Minute, dit le visiteur en écrivant ce qu'il apprenait.

– Exact, dit Lévy.

– Est-ce qu'il essaie toujours de vous surprendre à faire du bon travail ? demanda le jeune homme.

– Non, bien sûr que non, répondit Lévy. Seulement quand on commence à travailler ici, quand on débute un nouveau projet ou quand on assume de nouvelles responsabilités. Quand on commence à connaître les ficelles, on ne le voit plus très souvent.

– Pourquoi ? s'étonna le jeune homme.

– Parce qu'on a alors tous les deux d'autres façons de savoir si les résultats méritent des félicitations. On examine ensemble les données communiquées par le système informatique : les chiffres concernant les ventes, les dépenses, les délais de production, etc. Et alors, ajouta Lévy, au bout d'un certain temps, on se surprend soi-même à faire du bon travail et on se félicite soi-même. En outre, on se demande toujours quand vont venir les prochaines félicitations du Manager Minute, et ça incite à continuer à faire du bon travail, même quand il n'est pas là. C'est bizarre. Je n'ai jamais autant travaillé de ma vie.

– C'est vraiment intéressant, commenta le jeune homme. Ainsi, les Félicitations Minute sont un secret pour devenir un Manager Minute.

– Oui, en effet, dit Lévy, une lueur amusée dans l'œil. Il aimait voir quelqu'un apprendre les secrets du Management Minute.

En regardant ses notes, le visiteur résuma brièvement ce qu'il avait appris à propos des Félicitations Minute.

101

Les Félicitations Minute fonctionnent bien quand le manager accomplit les actions suivantes :

1. Dire *clairement* à la personne concernée qu'il va lui faire part de ses réactions vis-à-vis de son travail.
2. Féliciter la personne immédiatement.
3. Dire à la personne ce qu'elle a fait de bien, en étant précis.
4. Lui dire combien il est content de ce qu'elle a fait, combien cela va aider l'organisation et les autres gens qui y travaillent.
5. Observer une pause de silence pour lui laisser le temps de « ressentir » combien il est content.
6. Encourager la personne à continuer sur cette voie.
7. Lui serrer la main ou la toucher d'une manière qui lui fasse savoir qu'il soutient sa réussite dans l'organisation.

– Quel est le troisième secret ? demanda le jeune homme, impatient.

Lévy rit de l'enthousiasme du visiteur, se leva et dit :

– Vous devriez en parler à Mme Brown. Je crois que vous aviez prévu de vous entretenir avec elle aussi.

– En effet, reconnut le jeune homme. Eh bien, merci du temps que vous m'avez consacré.

– Pas de problème, dit Lévy. Je dispose de beaucoup de temps – voyez-vous, je suis moi-même un Manager Minute, maintenant.

Le visiteur sourit. Il avait déjà entendu cela quelque part. Il voulait réfléchir à ce qu'il avait appris. Il quitta le bâtiment et alla se promener dans un parc voisin. Il était à nouveau frappé par la simplicité et le bon sens de ce qu'il avait entendu. « Comment pourrait-on nier l'efficacité de surprendre les gens en train de faire du bon travail ? se demandait le jeune homme, surtout une fois qu'ils *savent* ce qu'ils ont à faire et à quoi ressemble une bonne prestation. »

« Mais les Félicitations Minute fonctionnent-elles vraiment ? se demandait-il. Est-ce que toutes ces histoires de Management Minute donnent vraiment des résultats – des résultats économiques ? »

Au fur et à mesure de sa promenade, sa curiosité à propos des résultats s'intensifia. Il revint donc auprès de la secrétaire du Manager Minute et lui demanda de déplacer son rendez-vous avec Mme Brown au lendemain matin.

– Demain matin, c'est d'accord, dit la secrétaire en raccrochant. Mme Brown a dit que vous pouviez venir n'importe quand, sauf mercredi matin.

Puis elle appela le centre ville et prit le rendez-vous demandé. Il devait voir Mme Gomez, une responsable travaillant au siège.

– Là-bas, ils ont des renseignements sur toutes les usines et les unités de l'entreprise, dit Mme Metcalfe d'un ton très assuré. Je suis sûre que vous y trouverez ce que vous cherchez.

Il la remercia et partit.

APRÈS déjeuner, le jeune homme se rendit au centre ville. Il alla trouver Mme Gomez, une femme d'une quarantaine d'années à l'air compétent. Abordant l'objet de sa visite, le jeune homme demanda :

– Pourriez-vous me dire, s'il vous plaît, quelle est l'unité la plus efficace et performante, parmi toutes les unités de l'entreprise dans ce pays ? Je voudrais la comparer à celle du soi-disant Manager Minute.

Il rit en entendant Mme Gomez répondre :

– Vous n'aurez pas à chercher très loin, parce que c'est justement celle du Manager Minute. C'est un sacré type, n'est-ce pas ? Son unité est la plus efficace et la plus performante de toutes nos usines.

– C'est incroyable, dit le jeune homme. Est-ce qu'il dispose des meilleures installations ?

– Non, dit Mme Gomez. Il dispose même des installations les plus anciennes.

– Eh bien, il doit quand même y avoir quelque chose qui ne marche pas, dit le jeune homme, encore déconcerté par le style de gestion du Manager Minute. Dites-moi, est-ce qu'il perd une grande partie de son personnel ? Est-ce qu'il y a beaucoup de rotation ?

– Maintenant que vous m'y faites penser, dit Mme Gomez, il y a effectivement beaucoup de rotation dans son usine.

– Ah ! dit le jeune homme, pensant qu'il était sur une piste.

– Qu'arrive-t-il aux gens qui quittent le Manager Minute ? demanda le jeune homme.

– Nous leur confions la responsabilité d'une usine, répondit Mme Gomez. Au bout de deux ans passés avec lui, ils disent : « Qui a besoin d'un manager ? » C'est le meilleur de nos formateurs. Chaque fois que nous avons une disponibilité et qu'il faut un bon manager, nous l'appelons. Il a toujours quelqu'un qui est prêt, en réserve.

Abasourdi, le jeune homme remercia Mme Gomez pour le temps qu'elle lui avait consacré. Mais cette fois il obtint une réponse différente :

– Je suis heureuse d'avoir réussi à vous recevoir, dit-elle. Le reste de ma semaine est complètement pris. Si seulement je connaissais les secrets du Manager Minute ! Cela fait longtemps que je veux aller le voir, mais je ne trouve pas le temps.

Le jeune homme dit en souriant :

– Je vous offrirai ces secrets en cadeau lorsque je les aurai appris moi-même, comme il le fait avec moi.

– Ce serait un cadeau précieux, dit Mme Gomez avec un sourire. Elle jeta un regard circulaire dans son bureau encombré et dit : Toute aide me serait bien utile.

Le jeune homme quitta le bureau de Mme Gomez et marcha dans la rue, en hochant la tête. Le Manager Minute le fascinait.

Cette nuit-là, le jeune homme eut un sommeil agité. Il attendait avec impatience le lendemain, car il allait apprendre le troisième secret pour devenir un Manager Minute.

LE lendemain matin, il arriva à neuf heures pile au bureau de Mme Brown. Une femme d'une cinquantaine d'années, élégamment habillée, le salua. Il eut droit à l'habituel : « C'est un sacré type, n'est-ce pas ? » mais le jeune homme pouvait désormais répondre sincèrement :

– Oui, en effet !

– Est-ce qu'il vous a dit qu'il était un Manager Minute ? demanda Mme Brown.

– Il ne m'a parlé que de cela, dit le jeune homme en riant. Ce n'est pas vrai, n'est-ce pas ? demanda-t-il, curieux de savoir s'il allait obtenir une réponse différente.

– Vous pouvez le croire ! Je ne le vois presque jamais.

– Voulez-vous dire, poursuivit le jeune homme, que vous n'avez guère de contacts avec lui en dehors de vos réunions hebdomadaires ?

– Très peu, en effet. Sauf, bien sûr, quand je fais du mauvais travail, dit Mme Brown.

Choqué, le jeune homme dit :

– Voulez-vous dire que les seules fois où vous voyez le Manager Minute, c'est quand vous faites du mauvais travail ?

– Oui. Enfin, pas tout à fait, dit Mme Brown, mais presque.

– Mais je pensais qu'une règle d'or, ici, était de surprendre les gens à faire du bon travail.

– Effectivement, insista Mme Brown. Mais il faut que vous sachiez quelque chose sur moi.

– Quoi ? demanda le jeune homme.

– Cela fait de nombreuses années que je travaille ici. Je connais cette usine de fond en comble. En conséquence, le Manager Minute n'a pas besoin de passer beaucoup de temps avec moi pour fixer les objectifs. En fait, j'écris moi-même mes objectifs et je les lui envoie.

– Chaque objectif est-il inscrit sur une feuille séparée ? demanda le jeune homme.

– Bien sûr. Pas plus de 250 mots par objectif – il ne faut qu'une minute pour en lire un.

« Une autre chose importante, à mon sujet, c'est que j'adore mon travail. En conséquence, je procède moi-même à mes propres Félicitations Minute. Si on ne s'encourage pas soi-même, qui le fera ? Un ami m'a fait connaître cette maxime, que je n'oublie jamais : « Si vous ne soufflez pas vous-même dans votre cor, quelqu'un l'utilisera comme crachoir. »

Le jeune homme sourit. Il aimait son sens de l'humour.

– Arrive-t-il que votre manager vous félicite ? demanda-t-il.

– Cela arrive parfois, mais pas très souvent parce que je le devance, répondit Mme Brown. Quand j'ai fait un travail particulièrement bon, il m'arrive même de demander des félicitations au Manager Minute.

– Comment osez-vous faire ça ? s'étonna le jeune homme.

– C'est facile. En quelque sorte, c'est un pari : soit je gagne, soit je ne fais ni pertes ni profits. S'il me félicite, je gagne.

– Et s'il ne vous félicite pas ? intervint le jeune homme.

– Alors je ne perds rien, répondit Mme Brown. Je n'avais rien avant d'avoir demandé.

Le jeune homme sourit en prenant note de la philosophie de Mme Brown, et poursuivit :

– Vous dites qu'il passe du temps avec vous quand vous faites quelque chose de mal. Que voulez-vous dire ? demanda le jeune homme.

– Quand je commets une grave erreur, j'ai invariablement droit à des Réprimandes Minute, dit Mme Brown.

– Des quoi ? demanda le jeune homme étonné.

– Des Réprimandes Minute, répéta Mme Brown. C'est le troisième secret pour devenir un Manager Minute.

– Comment cela fonctionne-t-il ? demanda le jeune homme.

– C'est simple, dit Mme Brown.

– Je me doutais que vous alliez dire cela, dit le jeune homme.

Mme Brown rit avec lui et expliqua :

– Lorsque vous travaillez à une tâche depuis déjà un certain temps, que vous savez bien faire ce travail et que vous faites une erreur, le Manager Minute est vif à réagir.

– Que fait-il ? demanda le jeune homme.

– Dès qu'il a entendu parler de mon erreur, il vient me trouver. D'abord, il confirme les faits. Puis il pose par exemple sa main sur mon épaule, ou il vient s'asseoir à côté de moi au bureau.

– Cela ne vous dérange-t-il pas ? demanda le jeune homme.

– Si, bien sûr, parce que je sais ce qui m'attend, surtout s'il n'a pas le sourire.

« Il me regarde droit dans les yeux, continua-t-elle, et il me dit précisément ce que j'ai mal fait. Puis il me dit ce qu'il en pense – il est en colère, contrarié, frustré...

– Combien de temps cela prend-il ? demanda le jeune homme.

– Seulement une trentaine de secondes, mais parfois ça me semble une éternité, reconnut Mme Brown.

Le visiteur se souvint de son malaise quand le Manager Minute lui avait dit, « sans équivoque », combien son indécision l'irritait.

– Et puis, que se passe-t-il ? demanda le jeune homme en se redressant sur sa chaise.

– Il laisse pénétrer ses paroles pendant quelques secondes de silence – Qu'est-ce que ça résonne !

– Et puis ? demanda le jeune homme.

– Il me regarde sérieusement en face et il me dit combien il trouve que je suis compétente, habituellement. Il s'assure que je comprends bien que la seule raison pour laquelle il est en colère contre moi, c'est qu'il éprouve beaucoup de respect pour moi. Il dit que ce que j'ai fait là ne me ressemble pas. Il dit qu'il sera heureux de me revoir à un autre moment, si je comprends qu'il n'acceptera pas à nouveau cette erreur.

Le jeune homme l'interrompit :

– Ça doit vous faire réfléchir à deux fois !

– Sans aucun doute ! dit Mme Brown en hochant vigoureusement la tête.

Le jeune homme savait de quoi parlait Mme Brown. Il prenait des notes aussi vite qu'il pouvait. Il sentait qu'il n'allait pas falloir longtemps à cette femme pour traiter plusieurs points importants.

– Premièrement, dit Mme Brown, il me réprimande généralement dès que j'ai fait quelque chose de mal. Deuxièmement, puisqu'il précise exactement de quoi il parle, je sais qu'il est au courant de ce qui se passe et que je ne vais pas pouvoir m'en tirer avec du mauvais travail. Troisièmement, comme il n'attaque pas ma personne, mais seulement mon comportement, cela m'évite de me mettre sur la défensive. Je n'essaie pas de trouver des raisons logiques à mon erreur, de lui faire porter la faute ni d'accuser quelqu'un d'autre. Je sais qu'il a une attitude juste. Et quatrièmement, il est cohérent.

– Cela signifie-t-il qu'il vous réprimande parce que vous avez fait du mauvais travail, même si les choses vont bien pour lui dans d'autres domaines ?

– Oui, répondit-elle.

– Tout le processus ne prend-il vraiment qu'une minute ? demanda le jeune homme.

– Oui, en général, dit-elle. Et quand c'est fini, c'est fini. Les Réprimandes Minute ne durent pas longtemps, mais je peux vous garantir qu'on ne les oublie pas ; et en général, on ne renouvelle pas la même erreur.

– Je crois savoir de quoi vous parlez, dit le jeune homme. Je lui ai demandé...

– J'espère, l'interrompit-elle, que vous ne lui avez pas demandé de se répéter.

Le jeune homme était embarrassé.

– Si, lui avoua-t-il.

– Alors vous savez quel effet cela fait de recevoir des Réprimandes Minute, dit-elle. Mais je suppose que, en tant que visiteur, vous avez dû avoir une version assez édulcorée.

– Je ne sais pas si je l'appellerais ainsi, dit-il, mais je ne pense pas que je lui demanderai à nouveau de se répéter. C'était une erreur.

« Je me demande, dit le visiteur tout haut, si le Manager Minute fait jamais des erreurs. Il semble presque trop parfait.

Mme Brown se mit à rire :

– Presque jamais, dit-elle. Mais il a le sens de l'humour, alors quand il fait une erreur, par exemple oublier la deuxième moitié des Réprimandes Minute, nous le lui faisons remarquer et nous plaisantons à ce sujet.

« Mais seulement quand nous nous sommes remis des réprimandes. Il peut arriver, par exemple, que nous lui téléphonions, un peu plus tard, pour lui dire que nous savons que nous avons commis une erreur. Nous rions et lui réclamons la partie compliment des réprimandes, parce que nous sommes un peu déprimés.

– Et que fait-il alors ? demanda le jeune homme.

– En général, il rit et nous prie de l'excuser d'avoir oublié de nous rappeler que nous sommes une personne « bien ».

– Ainsi vous pouvez rire à propos des félicitations et des réprimandes ? dit le jeune homme.

– Bien sûr, dit Mme Brown. Voyez-vous, le Manager Minute nous a appris à rire de nous-mêmes lorsque nous faisons une erreur. Cela nous aide à nous remettre au travail.

– C'est fantastique, dit le jeune homme enthousiasmé. Comment avez-vous appris cela ?

– Tout simplement, dit Mme Brown, en regardant le patron rire de lui-même.

– Voulez-vous dire que votre patron peut rire de lui-même quand il fait une erreur ? demanda le jeune homme ébahi.

– Eh bien, pas toujours, admit Mme Brown. Il est comme tout le monde. C'est parfois difficile. Mais souvent, il en est capable. Et quand il le fait, cela a un effet positif sur tous les gens qui l'entourent.

– Il doit se sentir assez sûr de lui, suggéra le jeune homme.

– En effet, dit Mme Brown.

Le jeune homme était impressionné. Il commençait à voir combien un tel manager était précieux pour une organisation.

– Pourquoi pensez-vous que les réprimandes du Manager Minute sont si efficaces ? demanda-t-il.

– Je vous laisserai poser cette question au Manager Minute, dit-elle en se levant et en raccompagnant le jeune homme à la porte.

Lorsqu'il la remercia du temps qu'elle lui avait consacré, Mme Brown sourit et dit :

– Vous savez quelle va être ma réponse.

Ils rirent ensemble. Il avait l'impression de faire un peu partie de la maison, de ne plus être un simple visiteur, et il en était content.

Dès qu'il fut dans le couloir, il s'aperçut qu'il avait passé très peu de temps avec Mme Brown mais qu'elle lui avait communiqué beaucoup d'informations.

Il réfléchit à ce qu'elle lui avait dit. Cela avait l'air tellement simple. Il passa en revue dans son esprit ce qu'il faut faire quand on surprend une personne expérimentée en train de faire du mauvais travail.

1:01

Les Réprimandes Minute fonctionnent bien quand le manager accomplit les actions suivantes :

1. Prévenir la personne concernée, *à l'avance*, qu'il va lui dire ce qu'il pense de son travail, sans équivoque.

La première moitié des réprimandes :

2. Réprimander la personne immédiatement.
3. Lui dire ce qu'elle a mal fait, en étant précis.
4. Lui dire ce qu'il pense de ce qu'elle a fait, sans équivoque.
5. Observer un instant de silence inconfortable pour lui faire sentir ce qu'il ressent.

La deuxième moitié des réprimandes :

6. Lui serrer la main ou la toucher d'une manière qui lui fasse comprendre qu'il est du même côté qu'elle.
7. Lui rappeler combien il l'apprécie.
8. Réaffirmer qu'il estime sa personne mais pas son comportement dans cette situation.
9. Se souvenir que quand les réprimandes sont terminées, elles sont terminées.

Le jeune homme n'aurait peut-être pas cru à l'efficacité des Réprimandes Minute s'il n'en avait pas fait personnellement l'expérience. Il ne faisait pas de doute qu'il s'était senti mal à l'aise. Et il ne voulait pas renouveler cette expérience.

Cependant, il savait que tout le monde fait des erreurs, de temps en temps, et qu'il se pourrait qu'il reçoive encore des réprimandes, un jour ou l'autre. Mais il savait que si elles venaient de la part du Manager Minute, elles seraient justes ; que ce serait un commentaire sur son comportement et non sur sa valeur en tant que personne.

En se dirigeant vers le bureau du Manager Minute, il pensait encore à la simplicité du Management Minute.

Ces trois secrets semblaient sensés : Objectifs Minute, Félicitations Minute et Réprimandes Minute. « Mais pourquoi cela fonctionne-t-il ? se demandait-il. Pourquoi le Manager Minute est-il le manager le plus productif de toute l'entreprise ? »

LORSQU'IL arriva chez le Manager Minute, sa secrétaire lui dit :

– Vous pouvez entrer. Il se demandait quand vous reviendriez le voir.

En pénétrant dans le bureau, le jeune homme remarqua à nouveau combien la pièce était dégagée et peu encombrée. Il fut accueilli par un sourire chaleureux du Manager Minute.

– Alors, qu'avez-vous rapporté de vos voyages ? demanda-t-il.

– Des trésors ! dit le jeune homme, enthousiaste.

– Dites-moi ce que vous avez appris, l'encouragea le Manager Minute.

– J'ai découvert pourquoi vous vous faites appeler un Manager Minute. Vous fixez des Objectifs Minute avec vos collaborateurs pour être sûr qu'ils connaissent leurs responsabilités et qu'ils savent à quoi ressemble une bonne prestation. Puis vous essayez de les surprendre à faire du bon travail, pour pouvoir leur donner des Félicitations Minute. Enfin, s'ils ont toutes les compétences nécessaires pour faire du bon travail mais qu'ils ne le font pas, vous leur donnez des Réprimandes Minute.

– Que pensez-vous de tout cela ? demanda le Manager Minute.

– Je suis étonné que ce soit aussi simple, dit le jeune homme, et que ça marche pourtant : vous obtenez des résultats. Je suis sûr, en tout cas, qu'avec vous, ça marche.

– Cela marchera aussi avec vous, si vous êtes disposé à le faire, insista le manager.

– Peut-être, dit le jeune homme, mais je le ferais plus volontiers si je comprenais mieux *pourquoi* ça marche.

– C'est vrai pour tout le monde, jeune homme. Plus on comprend pourquoi un système fonctionne, plus on est apte à l'*utiliser*. Je serais donc heureux de vous faire part de ce que je sais. Où voulez-vous commencer ?

– Bon, premièrement, quand vous parlez de Management Minute, voulez-vous vraiment dire qu'il ne faut qu'une minute pour faire toutes les choses que vous devez faire, en tant que manager ?

– Non, pas toujours, c'est seulement une façon de dire que le fait d'être manager n'est pas aussi compliqué qu'on voudrait vous le faire croire. Le fait de gérer les hommes ne prend pas autant de temps qu'on pourrait le croire. Alors quand je parle de Management Minute, chacun des éléments clés tels que la fixation des objectifs peut prendre plus d'une minute, mais c'est un terme symbolique. Et très souvent, il ne faut effectivement qu'une minute.

« Permettez-moi de vous montrer un pense-bête que je garde toujours sur mon bureau.

Le jeune homme lut les mots suivants :

★

La meilleure minute
dépensée,
c'est celle que
j'investis dans les individus

★

– C'est étrange, dit le manager, la plupart des entreprises consacrent 50 à 70 % de leurs ressources aux salaires de leurs employés. Pourtant, elles ne dépensent que 1 % de leur budget pour former leur personnel. La plupart des entreprises dépensent même plus de temps et d'argent pour entretenir leurs locaux et leur matériel qu'elles n'en dépensent pour entretenir les compétences et perfectionner les individus.

– Je n'y avais jamais pensé, admit le jeune homme. Mais si les individus donnent des résultats, il est certainement logique d'investir dans les individus.

– Exactement, dit le manager. J'aurais aimé qu'on investisse en moi plus tôt, quand j'ai commencé à travailler.

– Que voulez-vous dire ? demanda le jeune homme.

– Eh bien, dans la plupart des organisations dans lesquelles j'ai travaillé, il arrivait souvent que je ne sache pas ce que j'étais censé faire. Personne ne prenait la peine de me le dire. Si vous m'aviez demandé si je faisais du bon travail, j'aurais dit soit « Je ne sais pas » soit « Je pense que oui ». Si vous m'aviez demandé pourquoi je le pensais, je vous aurais répondu : « Mon patron ne m'a pas massacré récemment » ou « Pas de nouvelles, bonnes nouvelles ». C'était presque comme si ma principale motivation était d'éviter la punition.

– C'est intéressant, admit le jeune homme. Mais je ne suis pas sûr de bien comprendre.

Puis il ajouta d'un ton anxieux :

– En fait, si cela vous convient, je comprendrais peut-être mieux si vous répondiez à mes « pourquoi ». Commençons par la fixation des Objectifs Minute. Pourquoi cela marche-t-il si bien ?

– VOUS voulez savoir pourquoi les Objectifs Minute fonctionnent si bien, dit le manager. Très bien.

Il se leva et fit quelques pas dans la pièce.

– Voici une analogie qui pourrait vous aider. J'ai vu beaucoup de gens non motivés au travail dans les diverses organisations dans lesquelles j'ai été employé au cours des années. Mais je n'ai jamais vu une personne non motivée en dehors du travail. Tout le monde semble motivé vis-à-vis de quelque chose.

« Un soir, par exemple, je faisais du bowling et j'ai vu certains des employés « à problèmes » de mon ancienne organisation. L'un de ces employés, dont je me souvenais très bien, a pris la boule, s'est approché de la ligne et a lancé la boule. Puis il s'est mis à hurler, crier et sauter partout. Pourquoi pensez-vous qu'il était si heureux ?

– Parce qu'il avait renversé toutes les quilles.

– Exact. Pourquoi pensez-vous que ces gens-là ne sont pas aussi excités au travail ?

– Parce qu'ils ne savent pas où sont les quilles, dit en souriant le jeune homme. Je comprends maintenant. Combien de temps accepterait-il de jouer sans quilles ?

– Voilà, dit le Manager Minute. Maintenant vous voyez ce qui se passe dans la plupart des organisations. Je crois que la plupart des managers savent ce qu'ils veulent que leurs subordonnés fassent. Mais ils ne prennent pas la peine de le leur dire d'une manière qu'ils comprendraient. Les managers supposent qu'ils devraient savoir. Je ne suppose jamais rien, quand il s'agit de fixer les objectifs.

« Quand vous supposez que les gens savent ce qu'on attend d'eux, vous créez un jeu de bowling inefficace. Vous relevez les quilles, mais quand le joueur s'apprête à lancer la boule, il s'aperçoit qu'il y a un rideau devant les quilles. Lorsqu'il lance la boule, elle passe sous le rideau, il entend du bruit mais il ne sait pas combien de quilles il a renversées. Quand vous lui demandez son score, il dit :

« – Je ne sais pas. Mais je suis content.

« C'est comme jouer au golf la nuit. Un grand nombre de mes amis ont abandonné le golf ; quand je leur ai demandé pourquoi, ils m'ont dit :

« – Parce qu'il y a trop de monde sur les terrains.

« Quand je leur ai suggéré de jouer la nuit, ils se sont esclaffés :

« – Qui voudrait jouer au golf sans voir les trous ?

« C'est la même chose quand on regarde un match de football. Combien de gens, dans ce pays, s'assiéraient devant leur poste de télévision le dimanche après-midi pour regarder deux équipes courir sur le terrain, s'il n'y avait pas de buts dans lesquels tirer, ou si les points n'étaient pas comptés ?

– Comment cela se fait-il ? demanda le jeune homme.

– A l'évidence, ce qui motive les gens avant tout, c'est d'avoir des échos de leurs résultats. Nous avons une autre maxime ici, qui vaut la peine d'être notée : *La rétro-information est le petit déjeuner des champions.* La rétro-information nous incite à poursuivre nos efforts. Malheureusement, quand les managers s'aperçoivent que la réaction à propos des résultats est le motivateur numéro un, ils organisent généralement une troisième forme de bowling.

« Quand le joueur s'avance vers la ligne pour lancer la boule, les quilles sont relevées, le rideau est en place, mais il y a un autre ingrédient dans le jeu : un superviseur qui se tient derrière le rideau. Lorsque le joueur a lancé la boule, il entend le vacarme que font les quilles en tombant, et le superviseur lève deux doigts pour signifier que deux quilles ont été renversées. En fait, les managers disent-ils qu'on en a renversé deux ?

– Non, dit le jeune homme en souriant. Ils disent généralement qu'on en a raté huit.

– Précisément ! dit le Manager Minute. La question que je posais toujours était la suivante : pourquoi le manager ne lève-t-il pas le rideau de sorte que lui et son subordonné puissent voir les quilles ? Pourquoi ? Parce qu'il se réserve pour le grand examen traditionnel : l'évaluation des résultats.

– L'évaluation des résultats ? s'étonna le jeune homme.

– Oui. J'appelais cela le piège à rat. De tels managers ne disent pas à leurs collaborateurs ce qu'ils attendent d'eux ; ils se contentent de les laisser faire, puis ils « frappent » fort quand ceux-ci ne donnent pas les résultats désirés.

– Pourquoi pensez-vous qu'ils font cela ? demanda le jeune homme, commençant à reconnaître la vérité contenue dans les commentaires du manager.

– Pour faire bon effet, dit le manager.

– Comment ça, pour faire bon effet ? demanda le jeune homme.

– Comment pensez-vous que vous seriez jugé par votre patron si vous donniez à tous les gens dont vous êtes responsable la meilleure note sur votre échelle d'évaluation des résultats ?

– Comme un « faible », comme quelqu'un qui ne sait pas distinguer les bons résultats des mauvais.

– Précisément, dit le manager. Dans la plupart des organisations, pour faire bon effet en tant que manager, vous devez surprendre vos collaborateurs à faire du mauvais travail. Vous devez avoir quelques gagnants, quelques perdants, et tous les autres quelque part entre les deux. Voyez-vous, dans ce pays, nous avons une mentalité respectueuse de la « courbe normale de répartition ». Je me souviens d'une fois où j'étais allé visiter l'école de mon fils ; j'avais observé une classe de septième qui passait une épreuve de géographie sur les capitales. Quand j'ai demandé à l'enseignante pourquoi elle ne plaçait pas des atlas dans toute la pièce pour que les enfants puissent s'en servir, elle m'a dit :

« – Je ne peux pas faire ça, sinon tous les enfants auraient 10/10.

« Comme si c'était mauvais que tout le monde réussisse.

« J'ai lu quelque part que quand on demandait à Einstein son numéro de téléphone, il allait regarder dans l'annuaire.

Le jeune homme dit en riant :

– Vous plaisantez !

– Non, je ne plaisante pas. Il disait qu'il n'encombrait jamais son esprit d'informations qu'il pouvait trouver ailleurs.

« Or, si vous ne vous doutiez de rien, poursuivit le manager, que penseriez-vous d'un homme qui va chercher dans l'annuaire son propre numéro de téléphone ? Penseriez-vous que c'est un gagnant ou un perdant ?

Le jeune homme sourit et dit :

– Un vrai perdant.

– Bien sûr, dit le manager. Moi aussi, mais nous aurions tort, n'est-ce pas ?

Le jeune homme hocha la tête.

– C'est facile de faire cette erreur, dit le manager.

Puis il montra au visiteur un panonceau qu'il s'était fabriqué :

★

Chaque individu
est un gagnant en puissance ;
certains sont déguisés en perdants,
ne vous laissez pas tromper
par les apparences

★

– Voyez-vous, dit le manager, vous avez en fait trois possibilités, en tant que manager. La première est d'embaucher des gagnants. Ils sont difficiles à trouver et ils coûtent cher. La deuxième, si vous ne trouvez pas de gagnant, est d'embaucher quelqu'un qui a le potentiel d'un gagnant. Puis vous formez systématiquement cet individu pour qu'il devienne un gagnant. Si vous n'êtes pas disposé à choisir les deux premières possibilités (et je suis toujours étonné du nombre de managers qui refusent de dépenser de l'argent pour embaucher un gagnant et de prendre le temps de former quelqu'un), alors il ne reste plus que la troisième : la prière.

Le jeune homme eut l'air surpris. Il posa son carnet et son stylo et dit :

– La prière ?

Le manager riait doucement.

– J'essaie seulement d'être drôle, jeune homme. Mais quand vous y pensez, il y a beaucoup de managers qui disent leurs prières tous les jours : « Puisse cette personne réussir ! »

– Oh, dit le jeune homme sérieusement. Eh bien prenons la première possibilité. Si on embauche un gagnant, il est très facile d'être un Manager Minute, n'est-ce pas ?

– Certainement, dit le manager en souriant.

Il était surpris de voir comme le jeune homme était sérieux, maintenant – comme si le fait d'être plus sérieux faisait d'une personne un meilleur manager.

– Tout ce que vous avez à faire, avec un gagnant, c'est de fixer des Objectifs Minute, et puis vous le laissez prendre le relais.

– D'après ce que m'a dit Mme Brown, vous n'avez même pas besoin de faire ça avec elle, dit le jeune homme.

– Elle a tout à fait raison, dit le manager. Elle a déjà appris et oublié plus que n'en savent beaucoup de gens ici. Mais pour chacun, gagnant ou gagnant potentiel, la fixation des Objectifs Minute est un instrument de base pour obtenir un comportement productif.

– Est-ce vrai que, quel que soit l'auteur des Objectifs Minute, demanda le jeune homme, chaque objectif doit toujours être inscrit sur une seule feuille de papier ?

– Absolument, insista le Manager Minute.

– Pourquoi est-ce si important ?

– Pour que les gens puissent réexaminer leurs objectifs fréquemment, puis comparer leurs résultats à ces objectifs.

– On m'a dit que vous ne demandez de décrire ainsi que les principaux objectifs et responsabilités, et non tous les aspects du travail, dit le jeune homme.

– Oui. C'est parce que je ne veux pas travailler dans un moulin à papier. Je ne veux pas que des quantités de documents soient rangés quelque part pour n'être consultés qu'une fois par an, quand arrive la fixation des objectifs pour l'année suivante, l'évaluation des résultats, ou une autre échéance.

« Comme vous avez dû le voir, tous mes collaborateurs ont près d'eux un panonceau qui ressemble à celui-ci.

Il montra au visiteur le panonceau.

★

Prenez une minute :
examinez vos objectifs
examinez vos résultats
voyez si votre comportement
correspond à vos objectifs

★

Le jeune homme était ébahi. Il avait manqué cela, au cours de sa visite.

– Je n'ai jamais vu cela, dit-il. C'est formidable. Pourrais-je avoir un panonceau comme celui-ci ?

– Bien sûr, dit le manager. Je m'en occuperai.

Tout en écrivant ce qu'il apprenait, le manager aspirant dit, sans lever la tête :

– Vous savez, c'est difficile d'apprendre tout ce qu'il faut savoir sur le Management Minute en si peu de temps. J'aimerais en apprendre plus sur les Objectifs Minute, par exemple, mais je pourrais peut-être faire cela plus tard.

« Pourrions-nous passer aux Félicitations Minute, maintenant ? demanda le jeune homme, en levant la tête de son carnet.

– Bien sûr, dit le Manager Minute. Vous vous demandez sûrement pourquoi ça marche, ça aussi.

– En effet, répondit le visiteur.

– EXAMINONS quelques exemples, dit le Manager Minute. Vous comprendrez mieux ainsi pourquoi les Félicitations Minute fonctionnent si bien.

– D'accord, dit le jeune homme.

– Je vais commencer par un exemple à propos de pigeons, puis je continuerai avec des êtres humains, dit le manager. N'oubliez pas, jeune homme, que les gens ne sont pas des pigeons. Les individus sont plus compliqués. Ils sont conscients, ils pensent, et ils ne veulent surtout pas être manipulés par une autre personne. Souvenez-vous-en et respectez-le. C'est la clé d'une bonne gestion.

« En gardant cela à l'esprit, examinons plusieurs exemples simples, qui montrent que chacun cherche ce qui lui fait du bien et évite ce qui lui fait du mal.

« Supposons que vous voulez faire entrer un pigeon non dressé dans une boîte par le coin inférieur gauche, et qu'il traverse jusqu'au coin supérieur droit pour appuyer sur un levier avec sa patte. Supposons que, non loin de l'entrée, nous avons installé une machine qui distribue des boulettes pour récompenser et encourager le pigeon. Que pensez-vous qu'il va se passer si nous posons le pigeon dans la boîte et si nous attendons qu'il aille dans le coin supérieur droit pousser le levier avec sa patte droite, avant de lui donner quoi que ce soit à manger ? demanda le Manager Minute.

– Il va crever de faim, répondit le jeune homme.

– Vous avez raison. Nous allons perdre beaucoup de pigeons. Le pigeon va mourir de faim parce qu'il n'a aucune idée de ce qu'il est censé faire.

« Or ce n'est pas très difficile de dresser un pigeon à accomplir cette tâche. Il faut tracer un trait, pas très loin de l'endroit où le pigeon pénètre dans la boîte. Si le pigeon entre dans la boîte et traverse le trait – bang – la machine à boulettes se déclenche et le pigeon obtient de la nourriture. Le pigeon va bientôt arriver à dépasser le trait, mais on ne veut pas que le pigeon reste là. Où veut-on faire aller le pigeon ?

– Dans le coin supérieur droit de la boîte, dit le jeune homme.

– Exact, confirma le Manager Minute. Donc, au bout d'un certain temps, vous arrêtez de récompenser le pigeon et vous tracez un autre trait, pas très loin du précédent, mais dans la direction de l'objectif : le coin supérieur droit de la boîte. Le pigeon va traverser le premier trait, mais il ne reçoit plus de nourriture. Mais bientôt, il traverse le nouveau trait et – bang – la machine se déclenche et le pigeon obtient de la nourriture.

« Puis on trace un autre trait, là encore dans la direction de l'objectif mais pas trop loin, pour que le pigeon puisse l'atteindre. Nous allons tracer ces traits de plus en plus près du coin supérieur droit, jusqu'au moment où nous ne récompenserons plus le pigeon que s'il appuie sur le levier avec sa patte, et finalement, que s'il appuie sur le levier avec sa patte droite.

– Pourquoi établissez-vous tous ces objectifs intermédiaires ? demanda le jeune homme.

– En traçant cette série de traits, nous établissons des objectifs que le pigeon peut atteindre. Pour former une personne à une nouvelle tâche, il faut la surprendre, au début, à faire quelque chose d'approximativement bien, jusqu'à ce qu'elle apprenne à le faire parfaitement bien.

« Nous utilisons sans cesse ce concept avec les enfants et les animaux, mais il se trouve que nous l'oublions quand nous avons affaire à des adultes. Par exemple, dans certains de ces grands aquariums marins que l'on peut voir un peu partout, on termine souvent le spectacle en faisant sauter une énorme baleine par-dessus une corde, tendue haut au-dessus de l'eau. Quand la baleine retombe, les dix premiers rangs de spectateurs sont copieusement éclaboussés.

« Les gens quittent le spectacle en disant :

« – C'est incroyable. Comment font-ils pour apprendre cela à une baleine ?

« Croyez-vous qu'ils vont en bateau sur la mer, demanda le manager, et tendent une corde au-dessus de l'eau en criant « Saute, saute ! » jusqu'à ce qu'une baleine arrive et saute par-dessus la corde ? Et qu'ils disent ensuite :

« – Eh ! embauchons-la. C'est une vraie gagnante.

– Non, dit en riant le jeune homme, mais ils embaucheraient vraiment une gagnante.

Les deux hommes rirent ensemble.

– Vous avez raison, dit le manager. Quand ils capturent une baleine, elle ne sait absolument pas sauter par-dessus une corde. Alors quand ils commencent à la dresser, où pensez-vous qu'ils installent la corde ?

– Au fond du bassin, répondit le jeune homme.

– Bien sûr, répondit le manager. Chaque fois que la baleine passe de l'autre côté de la corde – c'est-à-dire chaque fois qu'elle traverse le bassin – elle reçoit à manger. Bientôt, ils relèvent un peu la corde.

« Si la baleine passe sous la corde, elle n'est pas nourrie pendant le dressage. Chaque fois qu'elle passe au-dessus, elle reçoit à manger. Au bout d'un moment, la baleine nage systématiquement au-dessus de la corde. Puis ils continuent à relever un peu la corde.

– Pourquoi relèvent-ils la corde ? demanda le jeune homme.

– Tout d'abord, dit le manager, parce que leur objectif est clair : ils veulent que la baleine saute hors de l'eau et par-dessus la corde.

« Et ensuite, le spectacle ne serait pas très passionnant si le dresseur disait :

« – Mesdames et messieurs, la baleine a encore réussi.

« Tout le monde regarderait dans l'eau mais ne verrait rien. Pendant un certain temps, ils continuent à relever la corde jusqu'à ce qu'elle atteigne la surface de l'eau. A ce moment, la baleine sait que pour être nourrie, elle doit sauter partiellement hors de l'eau et par-dessus la corde. Dès que cet objectif est atteint, ils continuent à éloigner de plus en plus la corde de la surface de l'eau.

– C'est donc comme cela qu'ils font, dit le jeune homme. Je comprends maintenant pourquoi cette méthode marche avec les animaux, mais n'est-elle pas difficile à utiliser avec des êtres humains ?

– Non, en fait c'est très naturel, dit le manager. Nous faisons tous à peu près la même chose quand nous élevons des enfants. Comment croyez-vous qu'on leur apprend à marcher ? Imaginez que l'on mette un enfant sur ses pieds et qu'on lui dise :

« – Allez, marche.

« Quand il tombe, vous le relevez, vous lui donnez une fessée en disant :

« – Je t'avais dit de marcher.

« Non, on met l'enfant sur ses pieds : le premier jour il titube un peu, vous êtes tout excité et vous dites :

« – Il tient debout !

« Et vous embrassez l'enfant. Le lendemain, il se tient debout un instant et fait peut-être un pas chancelant, alors vous êtes ravi et vous l'embrassez.

« Finalement l'enfant, se rendant compte que c'est une bonne affaire, commence à faire de plus en plus de pas, jusqu'à ce qu'il marche seul.

« Il en va de même lorsqu'on apprend à parler à un enfant. Supposons que vous demandiez à un enfant de dire :

« – Donne-moi à boire, s'il te plaît.

« Si vous attendiez que l'enfant dise toute la phrase correctement avant de lui donner à boire, il mourrait de soif. Alors vous commencez en disant :

« – A boire, à boire.

« Un jour, l'enfant dit « abare ». Vous vous enthousiasmez, vous embrassez l'enfant, vous appelez la grand-mère au téléphone pour que l'enfant puisse dire « abare ». Ce n'était pas « à boire », mais presque.

« Mais vous ne voulez pas que votre enfant aille au restaurant à l'âge de vingt ans et demande « abare » ; alors peu à peu vous n'acceptez plus que « à boire », et ensuite vous recommencez le processus pour « s'il te plaît ».

« Ces exemples montrent que le point le plus important, pour former quelqu'un à devenir un gagnant, est de le surprendre à bien faire quelque chose – au début, approximativement bien, et ensuite de plus en plus près du comportement souhaité. Dans le cas d'un gagnant, vous n'avez pas besoin de le surprendre très souvent à faire du bon travail, parce que c'est un type d'individus qui se surprend lui-même à bien faire les choses et s'encourage lui-même.

– Est-ce la raison pour laquelle vous observez beaucoup les gens au début, demanda le jeune homme, ou quand vos collaborateurs plus expérimentés commencent un nouveau projet ?

– Oui, répondit le Manager Minute. La plupart des managers attendent que leurs collaborateurs fassent quelque chose parfaitement bien avant de les féliciter. C'est ainsi que beaucoup de gens n'arrivent jamais à devenir des gagnants, parce que leurs managers ne pensent qu'à les surprendre à faire du mauvais travail – c'est-à-dire, tout ce qui ne correspond pas au résultat final souhaité. Dans notre exemple avec le pigeon, cela reviendrait à poser le pigeon dans la boîte, et non seulement à attendre qu'il pousse le levier pour lui donner de la nourriture, mais aussi à installer des grillages électrifiés autour de la boîte pour le punir périodiquement et entretenir sa motivation.

– Cela ne serait pas très efficace, suggéra le jeune homme.

– Non, en effet, convint le Manager Minute. Après avoir été puni pendant un certain temps, sans savoir ce qu'est un comportement acceptable (pousser le levier), le pigeon irait dans un coin de la boîte et ne bougerait plus. Pour le pigeon, c'est un environnement hostile, qui ne l'incite pas à prendre des risques.

« C'est ce qu'on fait souvent avec de nouveaux collaborateurs inexpérimentés. On leur souhaite la bienvenue, on leur présente tout le monde, puis on les abandonne. Non seulement on ne les surprend pas à faire leur travail approximativement bien, mais de temps à autre, on « frappe fort », pour qu'ils continuent à travailler. C'est le style de direction qui a le plus de succès. C'est le style « laisser faire/frapper fort ». Vous laissez la personne tranquille, en attendant d'elle de bons résultats, et si vous ne les obtenez pas, vous « frappez fort ».

– Qu'arrive-t-il à ces individus ? demanda le jeune homme.

– Si vous êtes déjà allé dans une entreprise, et je crois que vous en avez visité plusieurs, dit le manager, vous le savez, parce que vous les avez vus. Ils en font aussi peu que possible.

« C'est ce qui va mal dans beaucoup d'entreprises aujourd'hui. Les employés ne sont pas productifs – que ce soit en quantité ou en qualité.

« Les mauvais résultats commerciaux sont largement imputables à une mauvaise gestion des hommes.

Le jeune homme posa son carnet. Il réfléchissait à ce qu'il venait d'entendre. Il commençait à voir le Management Minute sous son vrai jour : un outil pratique de gestion.

Il n'arrivait pas à croire que quelque chose d'aussi simple que les Félicitations Minute fonctionne vraiment – que ce soit à l'intérieur ou à l'extérieur du monde commercial.

– Cela me rappelle l'histoire de mes amis, dit le jeune homme. Ils m'ont appelé pour me dire qu'ils avaient un nouveau chien. Ils m'ont demandé ce que je pensais de leur méthode de dressage.

Le manager redoutait presque d'entendre la réponse à sa question : Comment allaient-ils s'y prendre ?

– Ils m'ont dit que si le chien avait un « accident » sur le tapis, ils allaient prendre le chien, lui mettre le nez dedans, le corriger puis faire passer le chien à travers la petite porte de la cuisine pour l'envoyer dans la cour – là où le chien est supposé se soulager.

« Puis ils m'ont demandé ce qui allait arriver, à mon avis, avec cette méthode. J'ai ri parce que je savais ce qui allait se passer. Au bout de trois jours, le chien faisait ses besoins sur le tapis et sautait par la petite porte. Le chien ne savait pas quoi faire, mais il savait qu'il valait mieux qu'il déguerpisse.

Le manager éclata d'un rire approbateur.

– C'est une histoire formidable, dit-il. Vous voyez, c'est le résultat de la punition utilisée sur quelqu'un qui manque de confiance en soi ou qui n'est pas sûr de lui à cause de son manque d'expérience. Si une personne inexpérimentée n'obtient pas de résultats satisfaisants (c'est-à-dire ne fait pas ce que vous voulez qu'elle fasse), au lieu de la punir, il faut revenir à la fixation des Objectifs Minute et s'assurer qu'elle comprend ce qu'on attend d'elle et qu'elle sait à quoi ressemble une bonne prestation.

– Et ensuite, quand vous êtes revenu à la fixation des Objectifs Minute, demanda le jeune homme, essayez-vous à nouveau de la surprendre à faire les choses approximativement bien ?

– Précisément, reconnut le Manager Minute. Au début, il faut toujours essayer de créer des situations dans lesquelles vous pouvez décerner des Félicitations Minute.

Puis, regardant le jeune homme droit dans les yeux, le manager dit :

– Vous êtes un élève très enthousiaste et réceptif. C'est pourquoi je suis heureux de partager les secrets du Management Minute avec vous.

Ils sourirent tous les deux. Ils savaient reconnaître des Félicitations Minute.

– Une chose est sûre : j'apprécie plus les félicitations que les réprimandes, dit en riant le jeune homme.

« Je pense comprendre maintenant pourquoi les Objectifs Minute et les Félicitations Minute fonctionnent si bien ; cela me paraît plein de bon sens.

– Bien, dit le Manager Minute.

– Mais je ne comprends toujours pas pourquoi les Réprimandes Minute marchent, admit le jeune homme à haute voix.

– Je vais vous expliquer, dit le Manager Minute.

– IL y a plusieurs raisons pour lesquelles les Réprimandes Minute fonctionnent si bien.

« Pour commencer, expliqua le manager, la rétro-information, dans les Réprimandes Minute, est immédiate. C'est-à-dire que vous vous mettez en contact avec la personne concernée aussitôt que vous observez un « mauvais » comportement ou que vous en êtes informé par votre système de données. Il ne faut pas accumuler les impressions négatives au sujet du mauvais travail de quelqu'un.

« Le caractère immédiat de la rétro-information est une leçon importante pour comprendre pourquoi les Réprimandes Minute fonctionnent si bien. Si la correction n'intervient pas aussi vite que possible après l'erreur, elle ne sera pas aussi utile pour influencer le comportement futur. La plupart des managers assurent une discipline de loin en loin. Ils accumulent les observations de mauvais comportement, et un jour, quand arrive l'évaluation des résultats ou quand ils sont mécontents de manière générale parce que « la coupe est pleine », ils donnent l'assaut et déversent tout ce qu'ils ont sur le cœur. Ils disent aux gens tout ce qu'ils ont fait de mal depuis plusieurs semaines, plusieurs mois ou même plus.

Le jeune homme soupira et dit

– C'est bien vrai.

– Puis, continua le Manager Minute, le manager et son subordonné finissent généralement par se disputer à propos des faits reprochés, ou ils se taisent et se détestent en silence. La personne qui reçoit la rétro-information n'entend pas vraiment ce qu'elle a fait de mal. C'est une version de la discipline à la « laisser faire/frapper fort » dont j'ai déjà parlé.

– Je m'en souviens bien, dit le jeune homme. C'est une méthode que je veux absolument éviter.

– Vous avez raison, convint le manager. Si les managers intervenaient plus tôt, ils pourraient s'occuper d'un comportement à la fois et la personne critiquée ne se sentirait pas accablée. Elle pourrait entendre les informations qu'on lui communique. C'est pourquoi je pense que l'évaluation des résultats doit être un processus continu, et non quelque chose qu'on ne fait qu'une fois par an.

– Donc, l'une des raisons pour lesquelles les Réprimandes Minute fonctionnent, c'est que la personne concernée peut « entendre » la rétro-information, parce que quand le manager s'occupe d'un comportement à la fois, cela semble plus juste et plus clair, résuma le jeune homme.

– Oui, dit le manager. Deuxièmement, quand je fais des Réprimandes Minute, je n'attaque jamais la valeur personnelle de mon interlocuteur. Puisque sa valeur personnelle n'est pas remise en cause, il ne se sent pas obligé de se défendre. Je ne réprimande que le *comportement*. Ainsi, les réactions que j'exprime et sa propre réaction concernent le comportement spécifique en question et non ses sentiments en tant qu'être humain.

« Bien souvent, lorsqu'ils veulent corriger les gens, les managers s'en prennent à l'individu. Mon but, dans les Réprimandes Minute, est d'éliminer le comportement et de conserver la personne.

– C'est pourquoi la deuxième moitié des réprimandes est un compliment, dit le jeune homme. Le comportement n'est pas acceptable. La personne l'est.

– Oui, reconnut le Manager Minute.

– Pourquoi ne pas placer le compliment avant les réprimandes ? suggéra le jeune homme.

– Parce que ça ne marche pas, pour une raison ou une autre, insista le manager. Maintenant que j'y pense, certains disent que, en tant que manager, je suis « sympa et sévère ». Pour être plus précis, je suis en fait « sévère et sympa ».

– « Sévère et sympa », répéta en écho le jeune homme.

– Oui, insista le Manager Minute. C'est une philosophie très ancienne, qui fonctionne bien depuis des milliers d'années.

« Je connais même une histoire de la Chine antique qui illustre cela. Il était une fois un empereur chinois qui avait nommé un adjoint pour le seconder. Il fit appeler ce Premier ministre et lui dit :

« – Pourquoi ne pas nous répartir les tâches ? Occupez-vous de la punition et je m'occupe de la récompense.

« Le Premier ministre dit :

« – Très bien, je m'occupe de la punition et vous vous occupez de la récompense.

– Je crois que je vais aimer cette histoire, dit le jeune homme.

– Je le crois aussi, dit le Manager Minute avec un sourire.

– Or cet empereur, continua le manager, s'aperçut bientôt que quand il demandait à quelqu'un de faire quelque chose, la personne n'obéissait pas forcément. Cependant, quand le Premier ministre parlait, les gens agissaient. L'empereur a donc rappelé le Premier ministre et lui a dit :

« – Nous allons à nouveau répartir les tâches. Cela fait un moment que vous vous occupez de la punition, ici. Laissez-moi m'en occuper, et vous vous chargez de la récompense.

« Le Premier ministre et l'empereur échangèrent donc leurs rôles.

« Un mois plus tard, le Premier ministre était devenu empereur. L'empereur s'était montré agréable ; il avait beaucoup récompensé et il avait été aimable avec tout le monde. Puis il s'était mis à punir les gens. Les gens disaient :

« – Qu'a-t-il donc, ce vieux bonhomme ?

« Et ils le mirent à la porte. A la recherche d'un remplaçant, ils se dirent :

« – Celui qui revient en force, c'est le Premier ministre.

« Alors ils l'installèrent à la place de l'empereur.

– Est-ce une histoire vraie ? demanda le jeune homme.

– Peu importe, dit le Manager Minute en riant. Plus sérieusement, ajouta-t-il, c'est une chose que je sais : quand vous êtes d'abord sévère à l'égard du comportement puis que vous encouragez la personne, ça marche.

– Connaissez-vous des exemples modernes d'application réussie du Management Minute, dans d'autres domaines que la gestion ? demanda le jeune homme au manager.

– Certainement, dit le manager. Je vous en citerai deux : l'un concerne les graves problèmes de comportement chez les adultes, l'autre l'apprentissage de la discipline par les enfants.

– Qu'entendez-vous par « graves problèmes de comportement chez les adultes » ? demanda le jeune homme.

– Je parle en particulier des alcooliques, répondit le manager. Il y a une trentaine d'années, un prêtre a découvert une technique, aujourd'hui appelée « intervention de crise ». Il a fait cette découverte alors qu'il s'occupait de la femme d'un médecin. Cette femme était à l'hôpital, dans un état critique, se mourant lentement d'une cirrhose du foie. Mais elle continuait à nier qu'elle était alcoolique. Toute la famille réunie autour du lit, le prêtre a demandé à chacun de décrire un incident précis qu'il avait observé. C'est une partie importante des Réprimandes Minute. Avant de réprimander quelqu'un, vous devez avoir observé vous-même le comportement en question – vous ne pouvez pas vous fier à ce qu'a vu quelqu'un d'autre. Ne faites jamais de remontrances fondées sur le ouï-dire.

– Intéressant, intervint le jeune homme.

– Laissez-moi finir. Après que la famille eut décrit des comportements spécifiques, le prêtre a demandé à chaque membre de la famille de dire à cette femme ce qu'il pensait de ces incidents. Rassemblés autour d'elle, ils ont dit, l'un après l'autre, d'abord ce qu'elle avait fait, puis comment ils l'avaient ressenti. Ils avaient été en colère, frustrés, gênés. Puis ils lui ont dit combien ils l'aimaient, et ils l'ont touchée instinctivement et lui ont dit doucement combien ils voulaient qu'elle vive et qu'elle profite à nouveau de la vie. C'était la raison pour laquelle ils étaient tellement en colère contre elle.

– Cela semble si simple, dit le jeune homme, surtout dans un cas aussi compliqué qu'un problème d'alcoolisme. Est-ce que cette méthode a marché ?

– Extraordinairement bien, insista le Manager Minute. Il y a maintenant des centres qui appliquent cette méthode dans tout le pays. Ce n'est pas aussi simple que je vous l'ai résumé, bien sûr. Mais ces trois ingrédients de base – dire aux gens ce qu'ils ont fait de mal ; comment vous le ressentez ; et rappeler aux gens que ce sont des individus précieux et importants – conduisent à des améliorations sensibles dans le comportement.

– C'est presque incroyable, dit le jeune homme.

– Je sais, reconnut le manager.

– Vous avez dit que vous me donneriez deux exemples d'utilisation de méthodes telles que les Réprimandes Minute, dit le jeune homme.

– Oui, bien sûr. Vers 1970, un psychiatre de famille, en Californie, a fait la même découverte avec des enfants. Il avait lu beaucoup de choses sur les liens affectifs entre les gens. Il connaissait les besoins des individus. Il savait que les gens ont besoin d'être en contact avec des personnes qui se soucient d'eux, de voir leur valeur reconnue en tant qu'êtres humains.

« Ce médecin savait aussi qu'il faut appeler un chat un chat : que les gens doivent être informés de leur mauvais comportement par des gens qui les aiment.

– Comment cela se traduit-il concrètement ? demanda le jeune homme.

– Chaque parent apprend à toucher physiquement son enfant en mettant sa main sur son épaule, en touchant son bras ou, si l'enfant est jeune, en l'asseyant sur ses genoux. Puis le parent dit à l'enfant exactement ce que celui-ci a fait de mal et ce que lui-même en pense – sans équivoque. (Vous voyez que cela ressemble beaucoup à ce qu'ont fait les membres de la famille pour cette femme malade.) Enfin, le parent reprend son souffle et laisse passer quelques secondes de silence, de sorte que l'enfant puisse ressentir ce que sent son père ou sa mère. Puis celui-ci dit à l'enfant combien il compte pour elle ou lui.

« Vous voyez, il est très important, quand vous dirigez des hommes, de se souvenir que le comportement et la valeur personnelle sont deux éléments bien distincts. Ce qui est vraiment précieux, c'est la *personne* qui gère son propre comportement. C'est aussi vrai de chacun de nous en tant que manager que de chacune des personnes que nous dirigeons.

« En fait, si vous savez ceci, dit le manager en désignant l'un de ses panonceaux favoris, vous détenez la clé de la réussite des réprimandes.

★

Nous ne sommes pas simplement
un comportement –
nous sommes la personne
qui gère ce comportement

★

« Si vous êtes conscients que vous gérez des individus, et pas seulement leur comportement récent, conclut le manager, vous ferez du bon travail.

– J'ai l'impression qu'il y a beaucoup d'intérêt et de respect pour la personne, derrière ces réprimandes, dit le jeune homme.

– Je suis heureux que vous l'ayez remarqué, jeune homme. Vous réussirez les Réprimandes Minute quand vous vous soucierez vraiment du bien-être de la personne que vous réprimandez.

– Cela me rappelle, intervint le jeune homme, que M. Lévy m'a dit que vous lui donniez une tape sur l'épaule, ou que vous lui serriez la main, ou que vous établissiez une forme ou une autre de contact, pendant les félicitations. Maintenant, je remarque que les parents sont invités à toucher leur enfant pendant les réprimandes. Le fait de toucher la personne est-il un élément important des Félicitations et des Réprimandes Minute ?

– Oui et non, répondit le manager en souriant. Oui, si vous connaissez bien la personne et si vous avez à cœur d'aider cette personne à bien faire son travail. Non, si vous ou l'autre personne avez des doutes à ce sujet.

« Le contact physique est un message très puissant, fit remarquer le manager. Les gens ont des opinions bien établies à ce sujet, et il faut les respecter. Aimeriez-vous, par exemple, qu'une personne dont vous ne connaissez pas les motivations vous touche pendant des félicitations ou des réprimandes ?

– Non, répondit fermement le jeune homme. Je n'aimerais pas cela du tout !

– Vous voyez donc ce que je veux dire, expliqua le manager. Le contact est un geste honnête. Les gens savent immédiatement, quand vous les touchez, si vous vous souciez d'eux, ou si vous tentez seulement de trouver une nouvelle façon de les manipuler.

« Il existe une règle très simple, à ce sujet, poursuivit le manager. *Quand vous touchez, ne prenez pas.* Touchez les gens que vous dirigez seulement lorsque vous leur *donnez* quelque chose : une assurance, un soutien, des encouragements, ou autre.

– Donc il vaut mieux s'abstenir de toucher les gens, dit le jeune homme, avant de les connaître et avant qu'ils sachent que vous vous intéressez à leur réussite, que vous êtes clairement de leur côté. Je comprends cela.

« Mais, dit le jeune homme d'un ton hésitant, bien que les Félicitations et les Réprimandes Minute soient en apparence assez simples, nc constituent-elles pas des outils puissants pour faire faire aux gens ce que vous voulez qu'ils fassent ? N'est-ce pas de la manipulation ?

– Vous avez raison de dire que le Management Minute est un outil puissant pour faire faire aux gens ce qu'on veut qu'ils fassent, confirma le manager.

« Cependant, la manipulation consiste à faire faire aux gens une chose dont *ils ne sont pas conscients* ou avec laquelle *ils ne sont pas d'accord.* C'est pourquoi il est si important d'informer la personne, directement, de ce que vous faites et de vos raisons pour le faire.

« C'est comme tout, dans la vie, expliqua le manager. Il y a des choses qui marchent, et d'autres qui ne marchent pas. Le fait d'être honnête avec les gens finit toujours par marcher. A l'inverse, comme vous l'avez probablement déjà appris dans votre vie, la malhonnêteté conduit à l'échec dans les relations humaines. C'est aussi simple que cela.

– Je comprends maintenant, dit le jeune homme, d'où vient la puissance de votre style de management : vous vous intéressez aux individus.

– Oui, dit simplement le manager, je le pense.

Le jeune homme se souvenait que le Manager Minute lui avait donné l'impression d'un individu bourru, quand il avait fait sa connaissance.

On aurait dit que le manager lisait les pensées du jeune homme.

– « Qui aime bien châtie bien », dit le Manager Minute. Je suis assez sévère. Je suis très sévère pour juger les mauvais résultats – mais seulement les résultats. Je ne suis jamais sévère pour la personne elle-même.

Le jeune homme aimait bien le Manager Minute. Il comprenait maintenant pourquoi les gens aimaient travailler avec lui.

– Cela pourrait vous intéresser, Monsieur, dit le jeune homme en montrant son carnet au manager. C'est une maxime que j'ai inventée pour me rappeler combien les *objectifs* – les Objectifs Minute – et les *conséquences* – les félicitations et les réprimandes – influent sur le comportement des individus.

★

Les objectifs
déclenchent le comportement.
Les conséquences
entretiennent le comportement.

★

– C'est excellent ! s'exclama le manager.

– Vous trouvez ? demanda le jeune homme, désireux d'entendre à nouveau ce compliment.

– Jeune homme, dit le manager en détachant ses mots, mon rôle dans la vie n'est pas celui d'un magnétophone. Je n'ai pas le temps de me répéter continuellement.

Alors qu'il pensait qu'il allait être félicité, le jeune homme sentit arriver de nouvelles Réprimandes Minute, ce qu'il voulait éviter.

Le brillant jeune homme garda son sérieux et dit simplement :

– Comment ?

Ils se regardèrent un instant et éclatèrent de rire.

– Vous me plaisez, jeune homme, dit le manager. Aimeriez-vous travailler ici ?

Le jeune homme posa son carnet et regarda le manager d'un air ébahi.

– Vous voulez dire travailler pour vous ? demanda-t-il avec enthousiasme.

– Non, je veux dire travailler pour vous-même, comme les autres employés de mon service. Personne ne travaille jamais pour quelqu'un d'autre. J'aide simplement les gens à mieux travailler, ce qui profite à notre organisation.

C'était bien sûr ce que le jeune homme attendait depuis le début.

– J'adorerais travailler ici, dit-il.

Et c'est ce qu'il fit – pendant un certain temps.

Le temps investi par le Manager Minute dans ce jeune homme avait été bien employé. En effet, un jour, l'inévitable se produisit :

IL devint un Manager Minute.

Il devint un Manager Minute, non pas à cause de ce qu'il pensait, ni de ce qu'il disait, mais parce qu'il se comportait comme un Manager Minute.

Il fixait des Objectifs Minute.

Il donnait des Félicitations Minute.

Il faisait des Réprimandes Minute.

Il posait des questions concises et importantes ; il disait la vérité ; il riait, travaillait et appréciait la vie.

Et, surtout, il encourageait ses collaborateurs à faire de même.

Il avait même créé un « Plan de jeu », pour aider les gens de son entourage à devenir des Managers Minute. Il avait fait cadeau de ce plan à chaque personne dont il était responsable.

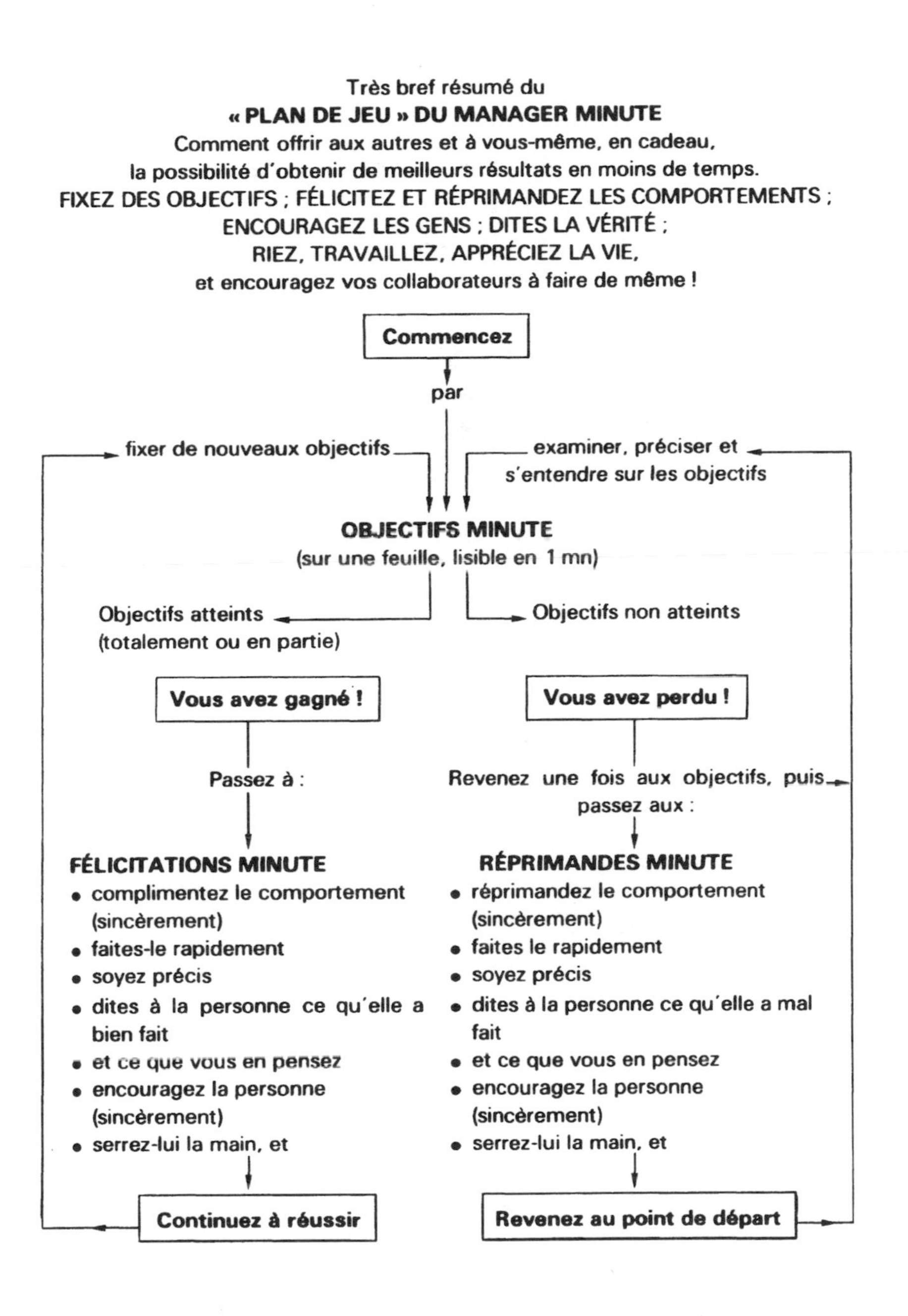
Très bref résumé du
« PLAN DE JEU » DU MANAGER MINUTE
Comment offrir aux autres et à vous-même, en cadeau,
la possibilité d'obtenir de meilleurs résultats en moins de temps.
FIXEZ DES OBJECTIFS ; FÉLICITEZ ET RÉPRIMANDEZ LES COMPORTEMENTS ;
ENCOURAGEZ LES GENS ; DITES LA VÉRITÉ ;
RIEZ, TRAVAILLEZ, APPRÉCIEZ LA VIE,
et encouragez vos collaborateurs à faire de même !
Commencez
par
fixer de nouveaux objectifs
examiner, préciser et
s'entendre sur les objectifs
OBJECTIFS MINUTE
(sur une feuille, lisible en 1 mn)
Objectifs atteints
(totalement ou en partie)
Objectifs non atteints
Vous avez gagné !
Vous avez perdu !
Passez à :
Revenez une fois aux objectifs, puis
passez aux :
FÉLICITATIONS MINUTE
• complimentez le comportement (sincèrement)
• faites-le rapidement
• soyez précis
• dites à la personne ce qu'elle a bien fait
• et ce que vous en pensez
• encouragez la personne (sincèrement)
• serrez-lui la main, et
RÉPRIMANDES MINUTE
• réprimandez le comportement (sincèrement)
• faites le rapidement
• soyez précis
• dites à la personne ce qu'elle a mal fait
• et ce que vous en pensez
• encouragez la personne (sincèrement)
• serrez-lui la main, et
Continuez à réussir
Revenez au point de départ

BIEN des années plus tard, l'homme se rappelait l'époque où il avait entendu parler des principes du Management Minute pour la première fois. Il lui semblait qu'il y avait bien longtemps de cela. Il était content d'avoir écrit ce qu'il avait appris auprès du Manager Minute.

Il avait réuni ses notes en un livre et il en avait donné des exemplaires à beaucoup de gens.

Il se souvenait de Mme Gomez, qui lui avait téléphoné pour lui dire :

– Je ne saurais trop vous remercier. Cela a beaucoup changé mon travail.

Cela lui faisait plaisir.

En se remémorant le passé, il souriait. Il se souvenait de tout ce qu'il avait appris auprès du premier Manager Minute, et il lui en était reconnaissant.

Le nouveau manager était aussi heureux d'avoir pu pousser ces connaissances plus loin. En distribuant des exemplaires de son livre à beaucoup d'autres employés de l'organisation, il avait résolu plusieurs problèmes pratiques.

Tous ceux qui travaillaient avec lui se sentaient en sécurité. Personne ne se sentait manipulé ni menacé, parce que chacun savait précisément ce que faisait le Manager Minute et pourquoi il le faisait.

Ils voyaient aussi *pourquoi* les techniques apparemment simples du Management Minute – objectifs, félicitations et réprimandes – fonctionnaient si bien.

Chaque personne disposant d'un exemplaire du texte pouvait le lire et le relire à son propre rythme, jusqu'à ce qu'elle le comprenne et le mette en pratique elle-même. Le manager connaissait parfaitement les bienfaits de la répétition dans l'apprentissage.

Le fait de partager ainsi ses connaissances d'une manière simple et honnête lui avait bien sûr économisé beaucoup de temps, et rendu son travail plus facile.

Un grand nombre de ses subordonnés étaient devenus eux-mêmes des Managers Minute. A leur tour, ils avaient fait la même chose que lui avec leurs subordonnés.

Toute l'organisation était devenue plus efficace.

En réfléchissant ainsi, assis à son bureau, le nouveau Manager Minute se rendait compte qu'il avait eu de la chance. Il s'était offert à lui-même, en cadeau, la possibilité d'obtenir de meilleurs résultats en moins de temps.

Il avait le temps de réfléchir et de planifier, d'apporter à son organisation le type d'aide dont elle avait besoin.

Il avait le temps de faire de l'exercice et de rester en forme.

Il savait qu'il ne connaissait pas les tensions quotidiennes, émotionnelles et physiques, que subissaient d'autres managers.

Et il savait qu'une grande partie des gens qui travaillaient avec lui bénéficiaient de ces mêmes avantages.

Son service enregistrait moins de rotation du personnel, si coûteuse, moins de congés-maladie, moins d'absentéisme. Les avantages étaient significatifs.

PUIS il se leva et fit quelques pas dans son bureau spacieux. Il était absorbé dans ses pensées.

Il se sentait bien dans sa peau – en tant qu'individu et en tant que manager.

Son intérêt pour les individus s'était révélé très rentable. Il s'était élevé dans l'organisation, acquérant plus de responsabilités et plus de satisfaction dans le travail.

Il savait qu'il était devenu un manager efficace, parce que l'organisation ainsi que ses employés avaient clairement bénéficié de sa présence.

Tout à coup, l'interphone sonna et fit sursauter le manager.

– Excusez-moi de vous déranger, dit la secrétaire, mais j'ai une jeune femme au téléphone. Elle voudrait savoir si elle peut venir s'entretenir avec vous de la façon dont vous dirigez les gens ici.

Le nouveau Manager Minute était content. Il savait que de plus en plus de femmes entraient dans le monde des affaires. Il était content que certaines d'entre elles soient aussi enthousiastes qu'il l'avait été lui-même pour apprendre à bien gérer.

Le service de ce manager fonctionnait bien. Comme on peut s'y attendre, c'était l'une des meilleures unités de ce type dans le monde. Ses employés étaient productifs et heureux. Et il était heureux aussi. Il se sentait à l'aise dans cette situation.

– Venez quand vous voulez, s'entendit-il dire à son interlocutrice.

Et bientôt il se trouva en face d'une brillante jeune femme.

– Je suis heureux de partager avec vous les secrets du Management Minute, dit le nouveau Manager Minute, en conduisant la jeune femme vers le canapé. Je ne vous demanderai qu'une chose.

– Qu'est-ce que c'est ? demanda la jeune femme.

– Simplement, commença le manager, il faudra...

★

Partager

avec les autres

★

101 *Remerciements*

Au cours des années, nous avons appris beaucoup auprès de nombreuses personnes. Nous aimerions faire l'éloge public des personnes suivantes,

tout particulièrement :

Dr Gerald Nelson, inventeur du « One Minute Scolding » (« remontrances minute »), une méthode de discipline extrêmement efficace à l'usage des parents. Nous avons adapté cette méthode pour en tirer les « Réprimandes Minute », une méthode non moins efficace de discipline à l'usage des managers. Le Dr Nelson est coauteur de *The One Minute Scolding,* un ouvrage que nous recommandons vivement aux parents.

et :

Dr Elliott Carlisle, pour ce qu'il nous a appris sur les managers productifs qui ont le temps de réfléchir et de planifier.

Dr Thomas Connellan, pour nous avoir appris à rendre les concepts et les théories des sciences du comportement claires et compréhensibles pour tous.

Dr Paul Hersey, pour nous avoir appris à tisser les applications des sciences du comportement en une étoffe précieuse.

Dr Vernon Johnson, pour nous avoir parlé de la méthode d'intervention dans les crises, dans le traitement des alcooliques.

Dr Dorothy Jongeward, Jay Shelov et *Abe Wagner,* pour ce qu'ils nous ont appris sur la communication et la valeur personnelle des individus.

Dr Robert Lorber, pour nous avoir appris à appliquer et utiliser les concepts des sciences du comportement dans le monde des affaires et de l'industrie.

Dr Kenneth Majer, pour ses idées sur la fixation des objectifs et le rendement.

Dr Charles McCormick, pour ce qu'il nous a appris sur le contact physique et le professionnalisme.

Dr Carl Rogers, pour ses idées sur l'honnêteté et l'ouverture d'esprit.

Louis Tice, pour ce qu'il nous a appris sur l'épanouissement du potentiel humain.

:01 *Les auteurs*

Dr. Kenneth Blanchard, Président de Blanchard Training and Development, Inc. (BTD), est un auteur, formateur et consultant internationalement connu. Il est coauteur de l'ouvrage largement reconnu et utilisé, sur le leadership et le comportement organisationnel : *Management of Organization Behavior : Utilizing Human Resources*, qui en est à sa quatrième édition et a été traduit dans de nombreuses langues.

Le Dr. Blanchard a obtenu une licence en administration et philosophie à l'Université Cornell, une maîtrise de sociologie de l'Université Colgate, et un doctorat d'administration et gestion de l'Université Cornell. Il enseigne actuellement le leadership et le comportement organisationnel à l'Université du Massachusetts à Amherst. Il est par ailleurs membre du National Training Laboratories (NTL).

Le Dr. Blanchard a été conseiller auprès d'entreprises et d'organismes tels que Chevron, Lockheed, AT & T, Holiday Inns, Young Presidents' Organization (YPO), the United States Armed Forces et l'Unesco. L'approche Hersey/Blanchard du management a été intégrée aux programmes de formation et de perfectionnement des cadres dans les sociétés Mobil Oil, Caterpillar, Union 76, IBM, Xerox, The Southland Corporation, et de nombreuses jeunes sociétés innovantes. En tant que consultant en management, le Dr. Blanchard présente des séminaires dans tous les Etats-Unis. Il est Président de la société Blanchard Training and Development, Inc., basée à Escondido (Californie).

Dr. Spencer Johnson Président de Candle Communications Corporation, est aussi auteur, éditeur, conférencier et consultant en communications. Il a écrit une dizaine d'ouvrages traitant de médecine et de psychologie ; plus de trois millions d'exemplaires de ces différents ouvrages ont été publiés.

Le Dr. Johnson a obtenu un diplôme de psychologie à l'Université de Californie du Sud et un diplôme de médecine au Royal College of Surgeons, en Irlande ; il a pratiqué la médecine à Harvard Medical School et Mayo Clinic.

Il a été Directeur médical des communications dans la société Medtronic, l'un des pionniers de la fabrication des piles cardiaques, et chercheur à l'Institute for Interdisciplinary Studies, un centre de recherches médico-sociales de Minneapolis. Il a également été consultant en communications auprès du Center for the Study of the Person, Human Dimensions in Medicine Program ; ainsi qu'auprès de l'Office of Continuing Education à la faculté de médecine de l'Université de Californie à La Jolla (Californie).

L'un de ses récents ouvrages, *The Precious Present*, est recommandé par l'éminent psychologue Dr. Carl Rogers, et par le Dr. Norman Vincent Peale, qui écrit : « Comme les choses pourraient changer si tout le monde lisait ce livre et appliquait les principes qu'il enseigne ! »

Le Manager Minute, comme tous les autres ouvrages écrits par le Dr. Johnson, reflète son souci d'aider les gens à faire appel à une meilleure communication pour diminuer le stress et améliorer leur santé. Le Dr. Johnson et le Dr. Blanchard ont également produit, en collaboration avec 20th Century Fox, une vidéo-cassette du *Manager Minute*.

Composition P.C.A.
à Bouguenais (L.-A.)
Achevé d'imprimer par
Jouve - Paris
N° d'éditeur : 786
N° d'imprimeur : 322488H

Dépôt légal : Février 2003

Imprimé en France